SE COIFFER À LA MAISON
PAS DE QUOI S'ARRACHER LES CHEVEUX!

REMERCIEMENTS ET AVERTISSEMENT

À LA MÉMOIRE DE MONSIEUR ÉMILE DALLA

Ce livre n'aurait pu être possible sans la collaboration de Martin Lucas. Merci mon ami.

Merci à:

Jean Airoldi, merci de ta confiance en moi. Ta sincérité est admirable.

Jean Garneau d'avoir porté un intérêt immédiat à ce projet en le rendant possible ainsi que d'avoir respecté mes choix.
André Provencher et à Martine Pelletier, des Éditions La Presse, de m'avoir fait sentir comme un auteur dès le premier jour et du respect porté à mon égard.
Nathalie Guillet, des Éditions La Presse, de ta patience, de ta rigueur et d'avoir fait de mes mots un récit.
Lyne Denault et à l'équipe de Canal Vie de votre participation à ce projet, ainsi que Zone 3.
L'équipe d'Astral qui avez toujours des idées géniales!
Céline Gosselin, productrice de l'émission *Airoldi pour une sortie*, de ton appui et de ta confiance.
Daniel Malenfant et Gaston Dugas, de m'avoir encouragé dans ce projet dès le début.
L'équipe de l'émission *Airoldi pour une sortie*: Myranie, Sébastien, Brigitte, Marie-Josée et Jean-François.
Martin et à Jay, notre admiration mutuelle forge notre amitié.
Stella, ta confiance, ta complicité et ton enthousiasme contribuent au succès de mes projets.
Jean-Pierre Louis (JPL International) de tes encouragements et ton aide.
Marie-Josée Leroux, de ton aide, de ta patience et de l'intérêt que tu portes à mes projets! xx
Vincent Matthew Kuziomko mon entraîneur, de m'avoir gardé sain de corps et d'esprit durant cette année d'écriture.
Ma famille, Mélanie (Krea Design), Dominique Vincent (Styl-Lib coiffure), Sylvain-Claude Filion, Warren (Zeoko), Alain Jacquaz, Chantal Lapierre, mes clients de leurs encouragements et leur soutien tout au long de cette aventure. Patrick Forte, Aldo Furfaro mon mentor, Alain Plourde et Daniel Benoît (Académie internationale de coiffure Gandini), Dawn Hall, Anik Lessard, Satine et Cachou, mes deux petites merveilles, mon havre de paix.
Aux trois hérons blancs, Max et Roméo, les nuages ne vous cacheront plus jamais du soleil.

Consultants:
Chimistes: Consultant Yves Lanctôt inc., Mélanie Lapolice
Naturopathe: Lise Guénette, ND.A. Membre de l'Association des naturopathes agréés du Québec, pour les marchés Tau (**www.marchestau.com**) Thank You Paul!
Coloristes: Stella Vasilakopoulos, du salon de coiffure Interfusion Laval; Line Bouthillette, Styl-Lib coiffure Vaudreuil
Historiens: Pierre-Jacques Ratio, Sylvain-Claude Filion
Maladies capillaires: Clinique de greffe de cheveux Bédard
Coiffures: Tina Vuduris, Ernesto Noschese, France Langlois, Patricia Dubé

Avertissement

Les conseils fournis dans ce livre sont donnés uniquement à des fins éducatives et ne remplacent pas des consultations avec un professionnel qualifié, le cas échéant. L'auteur et Les Éditions La Presse ltée. n'offrent aucune garantie et n'assument aucune responsabilité quant aux résultats obtenus à la suite de la mise en application de ces conseils.

Pour me joindre, ainsi que pour vos questions et vos commentaires: **www.lucvincent.com**.

TABLE DES MATIÈRES

AVANT-PROPOS

Parmi toutes les raisons qui m'ont poussé à écrire ce livre, un événement bien particulier domine toutes mes intentions. Laissez-moi vous le raconter.

Un jour, une dame est venue me voir pour la première fois afin que je la coiffe pour une occasion bien spéciale dans sa vie. Elle m'a dit : « Je vous ai vu à la télé et je sais que vous allez être capable de me rendre belle. » Voilà une commande qui m'a quelque peu désarçonné, car, c'est la triste vérité, cette dame n'était pas très avantagée par la nature. Honnêtement, le défi me paraissait énorme.

Je me suis mis au travail : mèches, coloration, coupe, mise en plis et, au final, lorsqu'elle s'est regardée dans le miroir, elle s'est exclamée, avec un accent de sincérité qui m'a réellement ému : « Je n'ai jamais été si belle de toute ma vie ! » Elle flottait littéralement en quittant mon salon de coiffure. J'étais confondu et, surtout, je voyais le résultat de mon travail et de tout ce que j'avais appris dans le métier. J'ai alors compris l'essence de ma profession, mais surtout le rôle que joue la coiffure dans la vie de chacun : tirer le meilleur de soi-même et parvenir à refléter sa propre beauté intérieure. Car, je l'avais senti, cette femme avait une très belle âme.

Il est toujours possible d'avoir une belle tête ; la jeunesse et la beauté n'ont rien à voir avec le style ! Parfois, des clientes viennent me voir avec des désirs irréalistes : elles veulent un look qui ne convient pas du tout à leur morphologie. Pourtant, la sagesse la plus élémentaire dicte autre chose : tirer le maximum de ce que la nature nous a donné comme atouts et savoir devenir belle en ne se comparant qu'à soi-même.

Notre chevelure est un vêtement que l'on porte tous les jours. Ce n'est donc pas étonnant de toujours vouloir que nos cheveux paraissent bien. Désirer être blonde ou souhaiter arborer une tête de *star* ne sert à rien si l'on n'a pas encore assimilé comment composer avec sa morphologie propre, dans le but d'exploiter à son meilleur les configurations physiques dont la nature nous a pourvus.

Les femmes sont pour moi une source d'inspiration inépuisable, et ce, depuis toujours. Enfant, je feuilletais des magazines, et, d'instinct, j'étais captivé par les formes de visage, le rapport entre le traitement de la chevelure et les yeux, la ligne du nez, le contour des lèvres. Rien ne m'attriste plus que de voir une femme qui ne sait pas mettre en valeur ses avantages naturels, car je suis persuadé que toutes les femmes ont le droit d'être belles. Et c'est à elles, avant tout, que ce livre est destiné.

À l'adage bien connu « seul son coiffeur le sait » j'ajouterais « seul son coiffeur le sent ». Il faut savoir travailler autour du point névralgique de la physionomie, construire la coiffure autour de ce que le visage et la silhouette ont de meilleur à offrir. Savoir interpréter jusqu'aux cheveux la beauté intérieure, sentir comment mettre en valeur la forme d'un visage, ses attributs, est un art que j'ai plaisir à partager dans ces pages.

Cet ouvrage, peut-être le premier du genre, veut démystifier le monde de la coiffure. Guide pratique, il vous renseignera sur les aspects techniques et scientifiques de la vie du cheveu ; ludique, il parle de l'histoire de la coiffure, d'accessoires et de trucs ingénieux qui vous permettront de réaliser vous-même, à la maison, des coiffures réussies ; et surtout,

il vous renseignera sur toutes les facettes de l'univers de la coiffure en vous apprenant à mieux connaître les secrets de votre propre chevelure. Il vous sera ensuite plus facile d'exprimer clairement vos désirs et de trouver le coiffeur qui vous convient... et qui vous comprend !

Après la lecture de ce livre, vous aurez surtout appris à bien connaître votre morphologie et votre chevelure pour mieux en exploiter tous les atouts... sans vous arracher les cheveux !

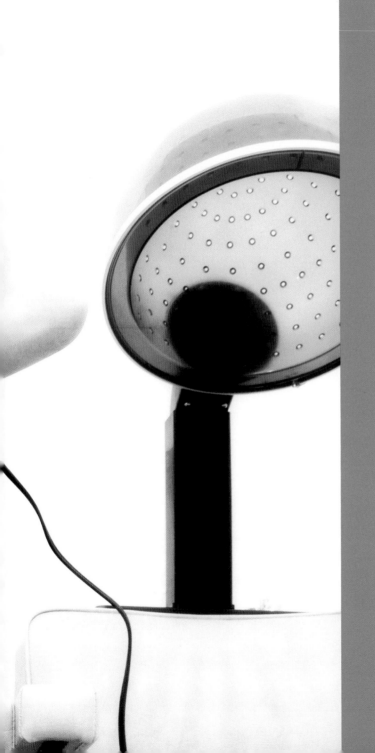

CHAPITRE 1

» **L'histoire de la coiffure**

MINIQUIZZ

Les cheveux poussent encore après la mort.

vrai ◯　　faux ◯

FAUX. Une rumeur semblable portant sur les ongles a également fait son chemin par-delà les âges. Or, les follicules des cheveux ont besoin de sang pour survivre. La même chose est vraie pour les ongles. À la mort, toute croissance s'arrête donc net.

SOUMISE AUX MODES LES PLUS FRIVOLES
ET, PARFOIS, AUX TRAITEMENTS
LES PLUS FARFELUS, LA CHEVELURE
SERT DE PARURE ET DE MARQUEUR DU STATUT
SOCIAL, EN PLUS DE PERMETTRE, DANS NOS
SOCIÉTÉS, D'EXPRIMER SON INDIVIDUALITÉ
ET DE SE DISTINGUER.

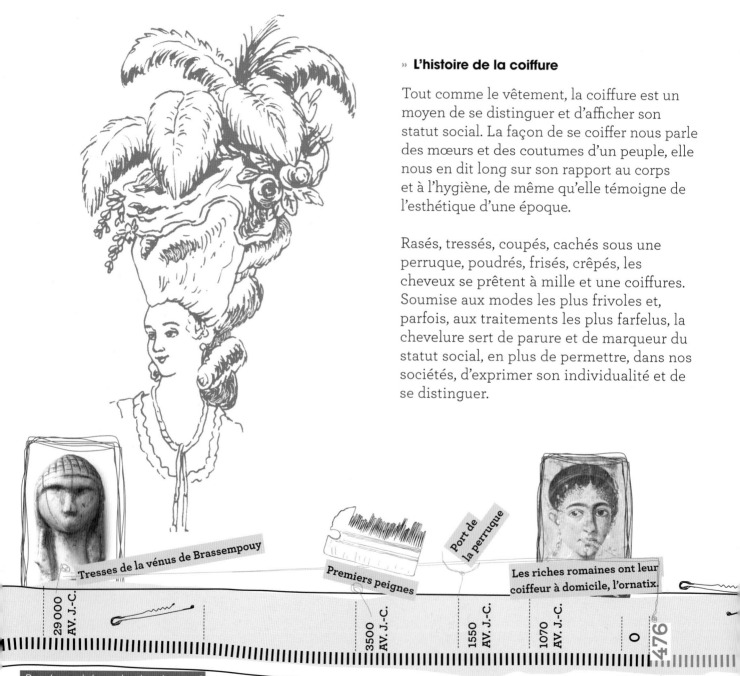

» L'histoire de la coiffure

Tout comme le vêtement, la coiffure est un moyen de se distinguer et d'afficher son statut social. La façon de se coiffer nous parle des mœurs et des coutumes d'un peuple, elle nous en dit long sur son rapport au corps et à l'hygiène, de même qu'elle témoigne de l'esthétique d'une époque.

Rasés, tressés, coupés, cachés sous une perruque, poudrés, frisés, crêpés, les cheveux se prêtent à mille et une coiffures. Soumise aux modes les plus frivoles et, parfois, aux traitements les plus farfelus, la chevelure sert de parure et de marqueur du statut social, en plus de permettre, dans nos sociétés, d'exprimer son individualité et de se distinguer.

Tresses de la vénus de Brassempouy

Premiers peignes

Port de la perruque

Les riches romaines ont leur coiffeur à domicile, l'ornatix.

29 000 AV. J.-C.

3500 AV. J.-C.

1550 AV. J.-C.

1070 AV. J.-C.

0

476

Pas de quoi s'arracher les cheveux !

Les premiers signes d'un intérêt pour la coiffure nous viennent du paléolithique. Les vénus de Willendorf et de Brassempouy témoignent du souci de nos ancêtres pour leur chevelure. Il y a environ 24 000 ans, la vénus de Willendorf portait déjà une coiffure très élaborée constituée de tresses enroulées avec soin sur la tête. Cette coiffure très audacieuse diffère des tresses verticales portées par la dame de Brassempouy, une autre vénus sculptée entre 29 000 et 22 000 ans avant nos jours.

D'innombrables découvertes archéologiques témoignent également de la préoccupation des hommes et des femmes pour la coiffure. Des peignes préhistoriques en os, en bois ou en ivoire ont été découverts par les archéologues. L'un des plus connus est le peigne aux deux girafes, conservé au musée d'Assouan, en Égypte. Cet objet en ivoire date de la période prédynastique (3100-2700 av. J.-C.) et témoigne de l'importance accordée à la coiffure dans la civilisation égyptienne.

Dans l'Égypte ancienne, les coiffures exprimaient l'appartenance à une caste et variaient aussi en fonction des sexes. Les prêtres portaient généralement les cheveux courts et rasaient leurs sourcils, comme l'attestent plusieurs représentations de scribes retrouvées lors des campagnes de fouilles en Égypte. Les coiffures des Égyptiennes, plus élaborées que celles de leur pendant masculin, ont également évolué au cours des millénaires. Les femmes qui se sont succédé au cours des quatre dynasties de l'Ancien Empire (2675-2170 av. J.-C.) semblaient apprécier les cheveux mi-longs ou courts et ornaient leurs coiffures de bijoux.

Au cours du Nouvel Empire (1550-1070 av. J.-C.), les coiffures féminines se modifient et on assiste alors à la mode des cheveux longs, comme l'attestent les représentations pictographiques ou statuaires de cette époque. Quant aux enfants, ils avaient le crâne rasé, à l'exception d'une natte, qui

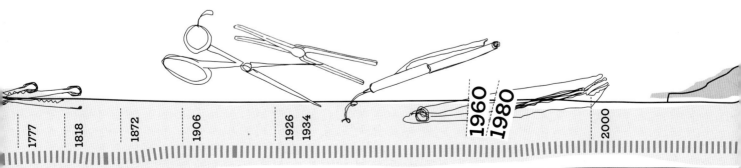

1777   1818   1872   1906   1926 1934   1960 1980   2000

symbolisait leur statut. À la puberté, le passage à l'âge adulte était marqué, chez les jeunes hommes, par le rasage complet du crâne. Les jeunes femmes, quant à elles, se laissaient pousser les cheveux. Règle générale, les Égyptiens ne portaient pas la barbe, considérée comme un attribut barbare. Seuls les pharaons étaient autorisés à se parer de barbes postiches.

Les perruques étaient prisées dans l'Égypte ancienne, et presque tous avaient le loisir d'en porter. Une fois encore, la perruque reflétait le statut social. Les riches se distinguaient en arborant des perruques constituées de cheveux naturels, alors que les moins nantis devaient se contenter de perruques à base de fibres ou de laine. Anubis, le dieu à tête de chacal, conducteur des âmes vers l'au-delà, portait lui aussi la perruque, de même que Heket, la déesse de l'accouchement, facilement reconnaissable à sa tête de grenouille[1].

La Grèce antique nous a également laissé plusieurs témoignages du style de coiffure en vogue à l'époque. Durant la période classique, aux alentours du Ve siècle av. J.-C., les Grecs portaient généralement les cheveux frisés comme signe distinctif, ce qui leur permettait de se différencier des barbares[2]. Curieusement, à cette époque, les jeunes Grecs portaient les cheveux longs comme les barbares jusqu'à l'âge de 18 ans. Une fois majeurs cependant, ils coupaient leurs cheveux pour adopter le style de coiffure des adultes.

Les femmes, de leur côté, portaient généralement les cheveux longs et bouclés, avec une raie au milieu de la tête. Tout comme les Égyptiennes, elles connaissaient la teinture et employaient parfois des poudres de couleur pour rehausser l'éclat de leur chevelure. Les servantes, quant à elles, se reconnaissaient à leur chignon, qu'elles portaient en guise d'identification sociale.

---

1 Alex-Max De Zogebh. *Égypte ancienne, aperçu sur son histoire, ses mœurs et sa religion*, Paris, E. Leroux éditeur, 1890.

2 Pour les Grecs, les barbares étaient toutes les personnes qui n'étaient pas grecques.

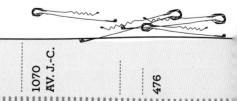

29 000 AV. J.-C. 3500 AV. J.-C. 1550 AV. J.-C. 1070 AV. J.-C. 476

Pas de quoi s'arracher les cheveux !

Les esclaves, pour leur part, étaient facilement identifiables à leur crâne rasé.

À l'époque hellénistique, Alexandre le Grand (356-323 av. J.-C.) exigea que ses soldats portent les cheveux courts et se rasent. Élien rapporte qu'à la mort de son ami Héphestion, « Alexandre fit couper les cheveux des plus vaillants de ses capitaines et qu'il coupa lui-même les siens[1] ».

À Rome, les hommes portaient les cheveux courts, alors que les femmes arboraient des cheveux longs qu'elles tressaient ou portaient en chignon. Selon Ovide[2], seules les bacchantes, prêtresses de Bacchus, avaient le loisir de porter les cheveux détachés.

À certaines époques, les cheveux étaient synonymes de force et de puissance. Si on

les rasait pour des raisons d'hygiène, notamment pour éviter les infestations de poux, les cheveux longs signifiaient que l'on était noble, ou à tout le moins puissant. L'histoire de Samson, rapportée dans l'Ancien Testament, témoigne de cette croyance. Un jour, Samson confia à Dalila que sa force lui venait de sa chevelure, une révélation qui causa sa perte puisque Dalila profita du sommeil du pauvre Samson pour raser son abondante chevelure, ce qui le dépouilla instantanément de sa force légendaire.

De même, au Moyen Âge, les nobles, hommes et femmes, portaient les cheveux longs, tandis que les moines se distinguaient par le port de la tonsure. Le crâne rasé était réservé aux serfs (paysans), et les femmes portaient souvent des coiffes ou des voiles.

Vers 1620, sous le règne de Louis XIII (1601-1643), une nouvelle mode masculine fit son apparition avec l'introduction des perruques à la cour de France. Cette mode se poursuivra sous Louis XIV (1638-1715), qui portait

---

1 Élien. *Histoires diverses, livre septième*, traduites du Grec, avec le texte en regard et des notes par M. Dacier, Paris, Imprimerie d'Auguste Delalain, 1827.

2 Ovide. *Les Métamorphoses, XI.*

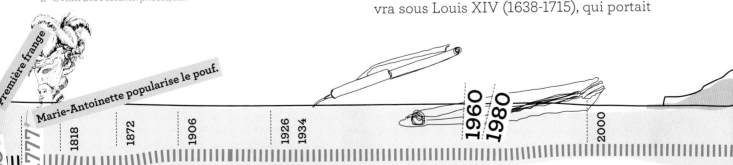

Première frange

Marie-Antoinette popularise le pouf.

1777 1818 1872 1906 1926 1934 1960 1980 2000

la perruque sur sa tête rasée[1], puis sous Louis XV (1710-1774). À cette époque, un chroniqueur qui ne manquait pas d'esprit rapporta que si le roi Astyages portait une perruque au VIe siècle av. J.-C., c'était pour cacher son âge à ses successeurs. La perruque de Louis XV, écrivait-il, bien que différente de celle de Louis XIV, ressemblait plutôt « [...] à celle d'Astyages. Mais ce n'était pas aux yeux de ses successeurs que Louis XV craignait de paraître vieux ; c'était aux yeux de ses maîtresses[2]. »

Sous le règne de Louis XVI, la perruque passa progressivement de mode, mais le catogan, sorte de chignon bas, demeura encore très populaire. On le portait alors « attaché un peu en bas [pour tenir] ses cheveux par

derrière[3] ». Les années qui précédèrent la Révolution française entraîneront peu à peu la perte de popularité de la perruque. C'est ainsi qu'en 1779, on pouvait lire dans la Galerie des modes un article déclarant que « les perruques ou les chevelures postiches passent de mode et [que] bientôt, elles ne seront plus portées que par quelques professions[4]. »

La fin du XVIIIe siècle entraîna peu à peu l'abandon de la perruque et le retour des cheveux courts chez les hommes, à l'exemple de Napoléon Ier lors de la campagne d'Égypte en 1798. Un peu plus tard, soit aux alentours de 1802, Napoléon reprit la mode romaine des cheveux courts « à la Titus », ce qui lui valut d'être surnommé « le petit tondu ».

1 Les archives de la Révolution française. *Observations politiques, morales, et surtout financières, sur l'origine de la perruque des dames de Paris*, reproduction de l'édition de Paris chez Germain Debray, libraire, an VIII [1800].

2 *Ibid.*

3 *Cabinet des modes ou les modes nouvelles décrites d'une manière claire et précise et représentées par des Planches en Taille*, Paris, Buisson, 1785.

4 La folie du dix-huitième : www.lafoliedix-huitieme.eu/marchande-modes/topic575.html.

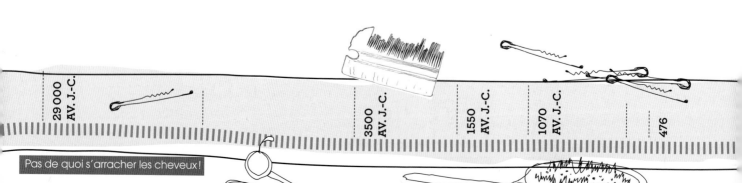

29 000 AV. J.-C.   3500 AV. J.-C.   1550 AV. J.-C.   1070 AV. J.-C.   476

Pas de quoi s'arracher les cheveux !

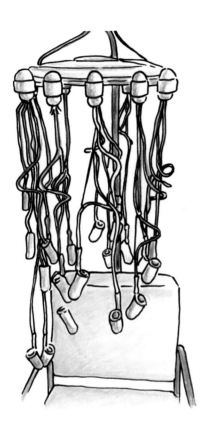

Machine à indéfrisables

La mode des cheveux courts perdura assez longtemps et se répercuta jusqu'en Amérique. On constate en effet, en regardant les dessins réalisés par Jean-Joseph Girouard entre 1837 et 1838, que les patriotes avaient généralement les cheveux courts et que bon nombre d'entre eux portaient des favoris comme c'était la mode en Europe. À cette époque, Louis-Joseph Papineau se distinguait par sa célèbre crête-de-coq qui le rend aisément reconnaissable sur les illustrations.

Les premières permanentes, aussi appelées « indéfrisables à chaud », sont apparues au début du XXᵉ siècle. Il s'agissait d'enrouler les cheveux sur des bigoudis en métal et de chauffer le tout pour les boucler. La procédure pouvait être longue, voire douloureuse, car elle causait parfois des brûlures.

Les juifs hassidiques avec leurs boudins, les moines avec leurs tonsures, les juges avec leurs perruques, les politiciens avec leurs cheveux courts et les rockers avec leurs coif-

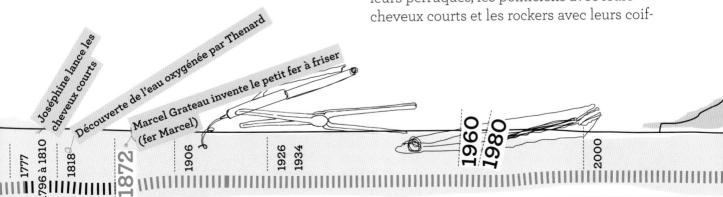

Joséphine lance les cheveux courts

Découverte de l'eau oxygénée par Thenard

Marcel Grateau invente le petit fer à friser (fer Marcel)

1777 1796 à 1810 1818 1872 1906 1926 1934 1960 1980 2000

fures extravagantes nous montrent bien que beaucoup portent une coiffure qui permet instantanément l'identification de leur statut social, de leur culture ou de leur religion. Le désir d'exprimer son individualité s'est accentué au cours des années 1960 et 1970, alors que la jeunesse rejetait massivement les valeurs matérialistes tout en prônant la liberté sexuelle et la fin de la guerre du Vietnam. À cette époque, plusieurs jeunes occidentaux exprimaient leur idéologie en adoptant la mode hippie, arborant fièrement une chevelure longue décoiffée et souvent négligée dans le seul but d'afficher leur protestation sociale. Ce mouvement « révolutionnaire » fit peur aux plus vieux qui s'exclamaient : « Mais que deviendront-ils, ces barbares ? » À leur grande surprise, ils sont devenus nos médecins, nos avocats et tous ces gens que nous côtoyons quotidiennement.

Vingt ans plus tard, une autre vague faisait son apparition, avec cette fois-ci une idéologie tenant plus de la droite. Les skinheads contestaient cette société libérée que leurs parents hippies avaient construite. Que sont devenus ces skinheads ? Peut-être vos propres voisins ! Comme quoi la coiffure ne fait pas le moine…

Il reste qu'en tant qu'être humain, nous souhaitons tous tirer notre épingle du jeu, plaire, être désirés, ne serait-ce que parce que notre instinct de reproduction nous y pousse. Un peu comme le paon qui fait étalage de ses couleurs, nous aimons séduire… Et en ce sens, nos cheveux sont un de nos atouts les plus précieux.

QUELQUES JALONS DE L'HISTOIRE DE LA COIFFURE…

✄ Le titre de « grand innovateur » de la coiffure revient, à mon avis, au peuple égyptien : 3 000 ans av. J.-C., il a inventé la perruque, la coloration capillaire végétale (le henné qui fut si populaire dans les années 1970 et 1980) et

29 000 AV. J.-C.

3500 AV. J.-C.

1550 AV. J.-C.

1070 AV. J.-C.

476

Pas de quoi s'arracher les cheveux !

le bouclage des cheveux avec de l'eau, une méthode encore très utilisée aujourd'hui.

✄ Gabrielle d'Estrées, la maîtresse d'Henri IV, adopte la coiffure « en cœur » maintenue par des bandeaux relevés, une vraie révolutionnaire.

✄ Marie de Médicis (1575-1642), mère de Louis XIII, se fait couper les cheveux en les faisant boucler autour du visage.

✄ 1630 : La première frange apparaît avec la coupe à la garcette, laquelle comporte une frange bouclée qui encadre le visage.

✄ 1635 : Champagne devient le premier coiffeur pour dames, un métier jusqu'alors réservé aux femmes. Il a été le coiffeur des dames de la cour et des têtes couronnées.

✄ XVIIIe siècle : la favorite de Louis XV, Madame de Pompadour (1721-1764), porte une coiffure dégagée au front, bouclée horizontalement. Cette coiffure fut très en vogue entre 1745 et 1764. À l'époque de Louis XV, mais aussi à celle de Marie-Antoinette, les dames de la cour rivalisaient d'ingéniosité. On plaçait dans les coiffures monumentales de l'époque, aussi appelés poufs, les ornements les plus divers : fleurs, navires de guerre miniaturisés, petits oiseaux, etc. Le bal était ouvert à l'originalité.

✄ 1796 à 1810 : Joséphine lance les cheveux courts tombant en désordre sur le visage.

✄ 1804 à 1815 : Napoléon se coupe les cheveux courts.

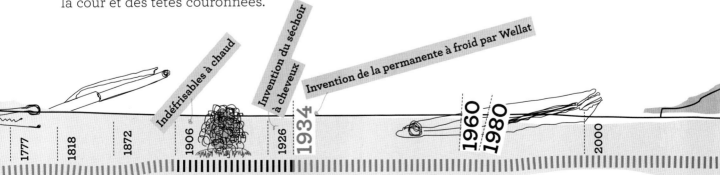

Indéfrisables à chaud · Invention du séchoir à cheveux · Invention de la permanente à froid par Wellat

1777 · 1818 · 1872 · 1906 · 1926 · 1934 · 1960 · 1980 · 2000

✂ 1830 : première académie de coiffure fondée par Croizat. C'est le début des écoles professionnelles de coiffure.

✂ 1818 : première découverte de l'eau oxygénée par Thenard.

✂ 1872 : Marcel Grateau invente le petit fer à friser (fer Marcel).

✂ 1906 : Nestlé invente la permanente à chaud et René Rambaud crée la mise en place de celle-ci avec différentes ondulations et variantes.

✂ 1928 : naissance du grand Vidal Sassoon. Il innovera et révolutionnera le monde de la coiffure par l'invention de sa technique de coupe géométrique, facile à coiffer au quotidien.

Évidemment, au fil du temps, les instruments de coiffure se sont également modernisés depuis l'invention des permanentes à chaud en 1906. En 1926, le séchoir à cheveux, inventé par Calor, a fait son apparition sur le marché et il s'est répandu rapidement dans la société. En 1934, un certain Willat inventait la technique de la permanente à froid qui a conduit au perfectionnement de la permanente, depuis lors toujours plus sophistiquée.

Les bigoudis, très populaires dans les années 1960, ont également une multitude de formes et de couleurs et ils sont même devenus chauffants avec le temps. En 2003, le bigoudi unique a fait son apparition sur le marché.

L'histoire de la coiffure est riche et en constante évolution. La coiffure est au cœur de notre vie quotidienne, de notre identité sociale et individuelle, et c'est

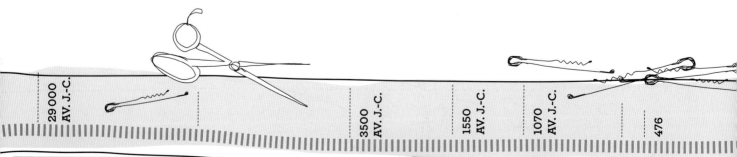

29 000 AV. J.-C.   3500 AV. J.-C.   1550 AV. J.-C.   1070 AV. J.-C.   476

Pas de quoi s'arracher les cheveux !

peut-être pour cette raison qu'au Québec, on compte six coiffeurs pour mille habitants, contre un peu plus de un médecin pour mille habitants.

Le monde capillaire est un monde merveilleux où il reste encore une foule de choses à découvrir et à inventer, et je crois que la seule limite que l'on peut y apporter, c'est celle de notre imagination !

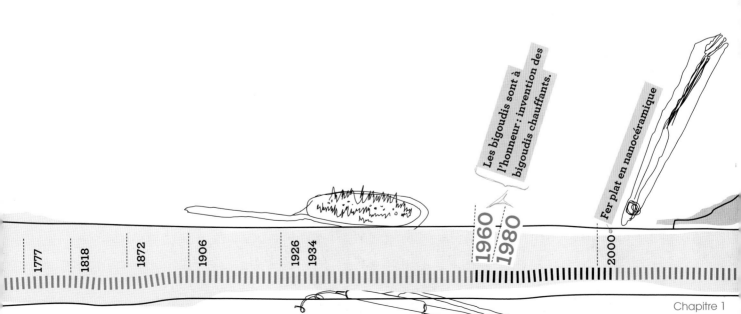

Les bigoudis sont à l'honneur : invention des bigoudis chauffants.

Fer plat en nanocéramique

1777 1818 1872 1906 1926 1934 1960 1980 2000

CHAPITRE 2

» **Les types de cheveux et
les maladies du cuir chevelu**

MINIQUIZZ

**Si on arrache un cheveu blanc,
il en pousse dix autres.**

vrai ◯   faux ◯

FAUX. Les cheveux poussant tous dans des follicules indépendants, le fait d'en arracher un n'a
absolument aucune incidence sur la pousse des autres.

[LES CHEVEUX ONT TROIS QUALITÉS :
LA TEXTURE, LA POROSITÉ ET L'ÉLASTICITÉ.]

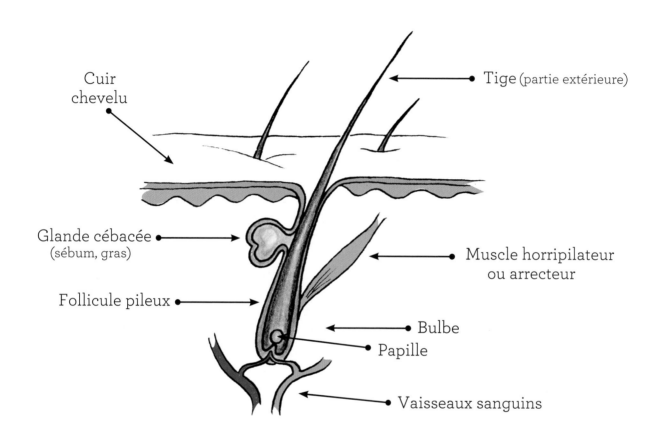

Cuir chevelu

Tige (partie extérieure)

Glande cébacée
(sébum, gras)

Muscle horripilateur
ou arrecteur

Follicule pileux

Bulbe

Papille

Vaisseaux sanguins

SCHÉMA DU CHEVEU

» Le cheveu

Le cheveu est un filament corné, flexible et résistant. Comme tout poil, il est une formation épidermique implantée plus ou moins obliquement dans la peau. Dès la conception, la couleur et la nature du cheveu sont fixées par les lois de la génétique : il est déjà décidé que nous serons blonde, noire, albinos ou châtaine, ou que nous aurons les cheveux frisés ou droits.

Les cheveux ont pour première fonction de protéger le crâne contre la chaleur, le froid, le soleil et les blessures. Saviez-vous que les chauves se blessent plus souvent à la tête que les chevelus ? Il en est ainsi précisément parce que les cheveux agissent comme les moustaches d'un chat !

On compte environ 100 000 cheveux dans une chevelure noire ou rousse, 150 000 lorsqu'elle est blonde et 110 000 lorsqu'elle est brune. Il est normal de perdre entre 10 et 80 cheveux par jour, et la pousse moyenne des cheveux est d'environ 1,2 cm par mois.

Les cheveux sont implantés en rond, ce qui explique pourquoi il est plus facile de se coiffer d'un côté que de l'autre. Le cheveu étant une cellule morte kératinisée, on ne peut pas guérir un cheveu abîmé, mais on peut le réparer temporairement en attendant que la nouvelle pousse arrive. La réparation se fait le plus souvent avec des produits à base de protéines ou d'huile, mais aucun de ces produits ne pourra réparer à jamais un cheveu dont les cuticules sont endommagées[1]. On doit alors recourir à des traitements réguliers, puisque les cuticules endommagées se referment mal et ne retiennent pas les produits traitants. Ce n'est qu'après quelques shampoings que le produit réparateur se libère, d'où l'importance de répéter l'opération. C'est d'ailleurs grâce aux cuticules en bonne santé que les colorants et les autres produits peuvent adhérer à la kératine des cheveux. En effet, les cuticules saines se referment automatiquement après avoir été ouvertes de force par les colorants chimiques. Par contre, lorsqu'elles sont endommagées, elles deviennent incapables de se refermer, ce qui les rend inaptes à retenir longtemps les produits réparateurs, d'où les couleurs délavées et les colorations ternes qu'on observe en pareil cas.

---

1 La cuticule est une gaine qui recouvre le cheveu. Elle se compose d'écailles alignées comme les tuiles d'un toit.

La partie vivante du cheveu, le bulbe, a besoin de nutriments pour maintenir la chevelure en bonne santé. À cette fin, il importe de se nourrir sainement. Un stress intense, la prise de médicaments, une anesthésie, une grossesse, un changement hormonal ou une maladie grave peuvent altérer la qualité des cheveux. Vous avez peut-être remarqué que l'on a rarement les mêmes cheveux après la trentaine, en raison du changement hormonal qui survient à cette période, tant chez l'homme que chez la femme.

Certains scientifiques surnomment la chevelure « la poubelle du corps humain », car le cheveu peut révéler les habitudes alimentaires ainsi que la prise de médicaments ou de drogues. (Plus le cheveu est long, plus on peut retourner en arrière.) Plusieurs athlètes se rasent d'ailleurs le crâne pour

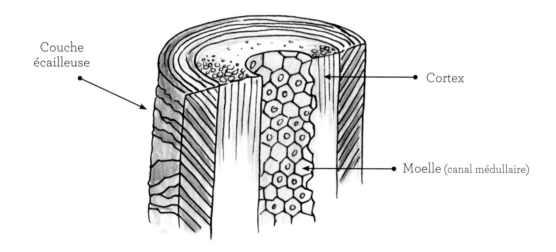

Couche écailleuse

Cortex

Moelle (canal médullaire)

SCHÉMA DE LA TIGE

éviter qu'une analyse capillaire révèle la prise de certaines substances illicites. **Benjamin « Ben » Weider,** un culturiste reconnu dans le domaine des suppléments alimentaires, a pu élucider la mort de Napoléon en achetant aux enchères une mèche de cheveux de celui-ci. En la faisant analyser, il y a décelé deux types de poisons que l'empereur aurait ingérés sur une longue période !

Le cheveu, ou plutôt son bulbe, a une durée de vie de deux à six ans. Ensuite, un autre cheveu issu de la même papille naît. À l'approche de la vieillesse, les cheveux vivent moins longtemps et deviennent plus fins. La pousse se montre moins vigoureuse chez certaines personnes, le plus souvent chez les hommes.

COMMENT DÉFINIR SON TYPE DE CHEVEUX

LES CHEVEUX ONT TROIS QUALITÉS : LA TEXTURE, LA POROSITÉ ET L'ÉLASTICITÉ.

La texture

Au toucher, le cheveu est doux, rude ou ciré. Le cheveu doux est un cheveu facile à coiffer et généralement sain. Le cheveu naturellement rude va souvent onduler ou friser, il a beaucoup de corps et il est facile de lui donner du volume. Si sa texture rude est le résultat d'un abus de produits chimiques, le cheveu deviendra « électrostatique » à la mise en plis.

Le cheveu ciré (comme chez les Asiatiques) a un fini glacé quelle que soit sa grosseur, puisque les cuticules y sont couchées à plat ; il est généralement très brillant, mais du fait que les cuticules y sont très fermées (couchées), il est difficile de lui donner du volume, de maintenir sa mise en plis et même de le soumettre à une permanente.

La porosité

Si vos cheveux sont faciles à couper aux ciseaux, autrement dit si aucune résistance ne se fait sentir, c'est qu'ils sont du type poreux. Si vous ne voulez pas vous risquer à prendre les ciseaux pour faire ce test, mouillez vos cheveux. S'ils imbibent l'eau très rapidement, vous saurez qu'ils sont poreux. Les principales causes de la porosité capillaire sont l'abus de décolorations et de permanentes, les mauvaises applications de couleur et les problèmes de santé.

L'élasticité

L'élasticité est la capacité d'extension du cheveu. Il peut s'étirer sans se briser et revenir à sa longueur initiale. Pour faire le test, prenez un de vos cheveux entre vos deux mains et étirez-le légèrement. Un cheveu dont l'élasticité est faible se rompra à la moindre tension.

Effectuez également un léger survol de votre cuir chevelu. Celui-ci devrait avoir une bonne mobilité, c'est-à-dire qu'il ne doit pas vous sembler collé sur votre crâne. Un cuir chevelu qui ne bouge pas, ou qui possède une mobilité très réduite, accumule des déchets, ce qui entraîne un mauvais drainage sanguin qui peut nuire à la croissance normale des cheveux. Le cuir chevelu devrait avoir une couleur légèrement rosée due à une bonne circulation sanguine. Une couleur blanchâtre indique une mauvaise circulation et une rougeur marquée pourrait révéler une irritation ou une hypersensibilité. Un cuir chevelu ne devrait jamais être trop gras ni trop sec. Même s'il se montre rugueux au toucher, il devrait être dépourvu de pellicules sèches ou grasses et, après le lavage des cheveux, il ne devrait pas dégager d'odeurs.

Bien que le sébum soit associé aux cheveux gras, il joue un rôle important dans la santé capillaire. Cette fine couche de lipide qui recouvre la peau a pour fonction de protéger le cuir chevelu de la sécheresse, et son acidité élevée prévient la prolifération des bactéries. Le sébum a également pour fonction d'imperméabiliser la peau, faisant ainsi obstacle aux substances chimiques contenues dans les produits capillaires. De plus, il hydrate les cheveux et leur donne davantage de souplesse. L'hypersécrétion de sérum est normale à la puberté. Cette production se normalisera à l'âge adulte et diminuera considérablement durant la vieillesse.

LES FACTEURS EXTERNES QUI INFLUENT SUR LA SÉCRÉTION SÉBACÉE SONT:

- une température élevée avec un air ambiant humide;

- les rayons ultraviolets (une irradiation excessive ayant pour effet de diminuer la production de sébum);

- des shampoings répétés avec une friction intense du cuir chevelu;

- une alimentation riche en sucre.

FAIT À NOTER: LA CONSOMMATION DE VITAMINES A ET B RALENTIT LA SÉCRÉTION SÉBACÉE.

Les maladies capillaires

LES CAUSES PHYSIQUES:

- les troubles circulatoires;

- les troubles intestinaux;

- les troubles nerveux;

- l'hérédité.

LES CAUSES PSYCHIQUES:

- la fatigue;

- le surmenage;

- la dépression;

- des soucis moraux et matériaux.

LES ABUS DE TOUTES SORTES PEUVENT ÊTRE EN CAUSE:

- l'exposition au soleil;

- le contact avec le chlore dans les piscines;

- l'utilisation de produits coiffants pour les cheveux;

- des colorations-décolorations;

- une alimentation trop riche en matières grasses;

✄ une surstimulation du cuir chevelu par le shampoing-massage ou le brossage.

Tous ces facteurs nuisent à la santé des cheveux et favorisent l'apparition de cheveux fourchus, trop fins, très gras ou tout simplement ternes et sans corps. Le cuir chevelu peut également souffrir de nos mauvaises habitudes ou de nos abus. Il en résultera alors une formation de pellicules sèches ou grasses, de l'irritation, des démangeaisons ou même de la calvitie.

L'alopécie

Ce qui nous préoccupe tous, autant les hommes que les femmes, c'est la chute des cheveux, appelée alopécie. Il en existe différents types, certaines étant temporaires tandis que d'autres sont permanentes.

LES TYPES D'ALOPÉCIES LES PLUS FRÉQUENTES :

L'alopécie héréditaire ou androgénétique

C'est le type d'alopécie le plus répandu chez l'homme et la femme. Pour savoir si vous serez sujette à cette forme d'alopécie, vous devrez regarder du côté paternel et maternel, et même remonter assez loin dans vos ascendances. Selon mon expérience, il y a plusieurs années, cette forme d'alopécie ne pouvait se manifester chez la femme qu'à partir de la trentaine, alors que de nos jours le problème s'observe dès la vingtaine.

L'alopécie cicatricielle

L'alopécie cicatricielle résulte d'un traumatisme du cuir chevelu causé par un champignon, un virus, une bactérie ou par certaines maladies. Elle se caractérise par des zones dénudées brillantes, roses ou blanches dépourvues des petits orifices qui révèlent à l'œil nu les follicules pileux. Malheureusement, cette chute de cheveux est définitive.

La pelade

La pelade, dont on ne connaît pas vraiment les causes, peut elle aussi être héréditaire ; elle peut toucher différentes régions de la tête et perdurer de 3 à 18 mois avant l'apparition d'une repousse formée de cheveux fins comme un duvet. Les traitements sont nombreux. On peut notamment appliquer sur les plaques de pelade des médicaments à base de cortisone. La photothérapie (traitement par rayons ultraviolets) est aussi une solution. Consultez votre médecin.

L'alopécie psychosomatique

Cette forme d'alopécie est causée par des chocs ou troubles nerveux comme la dépression. Elle se résorbe en même temps que la situation.

L'alopécie endocrinienne

Il s'agit d'une perte de cheveux dispersée sur toute la tête, ce qui se traduit par une chevelure de faible densité. Ce phénomène est souvent consécutif à un accouchement. Il survient alors environ 2 mois après l'accouchement (ou l'avortement) et, en cas d'allaitement, 70 jours après le sevrage.

VOICI D'AUTRES CAUSES DE CETTE FORME PARTICULIÈRE D'ALOPÉCIE :

- ✂ la prise de certains médicaments ;

- ✂ des troubles hormonaux (notamment de la thyroïde) ;

- ✂ la ménopause ;

- ✂ des problèmes ovariens ;

- ✂ une intervention chirurgicale ;

- ✂ une anesthésie.

L'alopécie endocrinienne est curable dans la majeure partie des cas.

L'alopécie causée par la chimiothérapie

Contrairement à la croyance, il n'est pas nécessaire de se raser les cheveux avant de subir des traitements de chimiothérapie. Le résultat sera le même. Toutefois, pour certaines femmes, le fait de prendre elles-mêmes la résolution de se raser la tête leur procure du courage et le sentiment d'avoir une emprise sur ce qui leur arrive.

La trichotillomanie

Ce problème qui découle de troubles nerveux ou psychologiques consiste à prendre une mèche de cheveux et à la tourner sur elle-même jusqu'à ce qu'elle s'arrache complètement. Chez certaines personnes, les cheveux sont ainsi arrachés un à un. S'il n'est pas traité, ce trouble peut engendrer une perte de cheveux permanente dans les régions trop souvent attaquées. Seul un traitement psychologique peut en venir à bout. La trichotillomanie se manifeste souvent de façon passagère chez les enfants et les adolescents. C'est à surveiller.

En plus des causes précitées, l'alopécie, quelle qu'en soit la forme, peut également être causée par la pose fréquente de rallonges de cheveux. Cette pratique peut avoir pour effet de déraciner les cheveux, voire de mener à la perte complète et permanente d'un certain nombre de cheveux dont les follicules auront ainsi été obstrués. Un crêpage exagéré et quotidien des cheveux ainsi que tout accessoire qui ajoute un poids exerçant une traction sur la racine des cheveux peuvent également contribuer à la perte de votre précieuse chevelure. En revanche, une bonne hygiène capillaire peut retarder ce phénomène.

La perte de cheveux n'est pas contagieuse, en général, mais certaines maladies ou infections liées à la perte de cheveux peuvent l'être. Consultez votre médecin. Selon le cas, il vous conseillera un dermatologue ou une clinique spécialisée reconnue par le Collège des médecins.

Méfiez-vous des solutions miracles et des shampoings-traitements trop prometteurs. Il existe à Montréal de très bonnes cliniques du cheveu qui sont reconnues internationalement. Vous pourrez y trouver des solutions telles que le minoxydyle et la microgreffe de cheveux. La recherche dans ce domaine progresse constamment, car la perte des cheveux touche plus de 66 % des hommes ainsi que des millions de femmes. Si vous en êtes victime, gardez le moral !

Suivez bien les conseils offerts dans le présent ouvrage pour un cuir chevelu en bonne santé et une chevelure attrayante.

La canitie (cheveux blancs)

Les cheveux blancs, nous n'y échappons pas ! Ils apparaissent lorsque les mélanocytes, qui produisent le pigment responsable de la coloration des cheveux, cessent de fonctionner. Les premiers cheveux blancs apparaissent généralement vers l'âge de 30 ans, mais certaines personnes ont des cheveux blancs dès la vingtaine.

Un stress majeur, comme la perte d'un être cher ou un accident, peut également être à l'origine du blanchiment partiel des cheveux en seulement quelques semaines. Ce phénomène spectaculaire est heureusement assez rare, mais il peut marquer le début d'un blanchiment prématuré. C'est de là, certainement, que vient l'expression : « Tu me donnes des cheveux blancs ! »

La leucotrichie

La leucotrichie est une décoloration partielle ou totale des cheveux. On se rappelle l'actrice Glenn Close dans le rôle de Cruella De Ville, du film *Les 101 dalmatiens*, des studios Disney. La mèche blanche qui la distingue si bien en est un exemple.

Le monilethrix

Le monilethrix, ou aplasie moniliforme, est une dystrophie rare des cheveux, congénitale et le plus souvent familiale. On la reconnaît au fait que les cheveux cassent à quelques centimètres du cuir chevelu. Elle

peut se manifester par petites sections ou sur le cuir chevelu tout entier.

La séborrhée

Cette affection se caractérise par une sécrétion de sébum surabondante qui confère aux cheveux une apparence graisseuse. On l'observe le plus souvent chez les adolescents. Toutefois, les enfants peuvent aussi en être touchés. Certains hommes souffrent de ce problème jusque dans la trentaine, après quoi la production de sébum tend à diminuer. Ce déséquilibre, parfois héréditaire, se traite bien en clinique.

Les pellicules sèches (pityriasis capitis)

Comme leur nom l'indique, les pellicules sèches sont des petits morceaux de peau sèche. Elles apparaissent souvent aux changements de saisons ou à la suite d'un changement de shampoing ou d'une modification de régime alimentaire, par exemple. Lorsqu'elles sont abondantes, il faut éviter les shampoings à répétition. Contrairement à ce que l'on pourrait croire, il ne s'agit pas de la meilleure façon de les éliminer. Les lavages fréquents assèchent le cuir chevelu, favorisant ainsi la formation de squames. La solution : appliquez des lotions à base de soufre, d'alcool et d'iode, ainsi que des produits et shampoings à base de zinc. Les pellicules sèches n'entraînent généralement pas la perte de cheveux.

Les pellicules grasses (pityriasis stéatoïde)

Les pellicules grasses sont fréquentes dans les cas de déséquilibre séborrhéique. Accompagnées le plus souvent de démangeaisons, elles sont abondantes et souvent plus rondes que les pellicules sèches. Les cheveux redeviennent gras très rapidement après le shampoing et peuvent dégager des odeurs. Dans certains cas, le phénomène peut être annonciateur d'une chute de cheveux. C'est une situation à prendre au sérieux. Consultez votre dermatologue ou votre spécialiste de la santé.

Les poux (*Pediculus humanucapitis*)

Les poux s'attaquent souvent à la tête des enfants, mais les adultes risquent tout autant d'en attraper. Chaque année au Canada, près de deux millions d'enfants sont infestés par les poux. Ces parasites se transmettent par contact direct avec les cheveux ou par l'entremise d'un objet comme un chapeau, une tuque, etc. Les poux ne sont pas signe de malpropreté ou de manque d'hygiène. Ayant besoin de sang et de chaleur, ils affectionnent naturellement le cuir chevelu.

Heureusement, ces bestioles ne présentent aucun danger pour la santé humaine. Il existe plusieurs traitements que votre médecin ou votre pharmacien pourra vous prescrire. Évitez les remèdes de grand-mère !

Les poux se multipliant à une vitesse phénoménale, une épidémie pourrait survenir dans votre environnement si le traitement s'avère inefficace. Une fois le traitement réussi, assurez-vous de bien laver à l'eau très chaude tous les vêtements, chapeaux, literie et autres et de les faire sécher à la sécheuse au cycle chaud. Le nettoyage à sec est aussi efficace contre les poux. Tous les peignes et toutes les brosses doivent être désinfectés au savon et à l'eau très chaude. Laissez-les tremper quelques minutes.

EN TERMINANT, SIGNALONS TROIS AUTRES
PROBLÈMES CAPILLAIRES COMMUNS :

✂ **le psoriasis :** plaques squameuses
sèches sur le cuir chevelu.

✂ **les tumeurs bénignes :** petites
bosses de graisse et de sébum sur
le cuir chevelu qui doivent être
extirpées par un chirurgien.

✂ **les tumeurs malignes :** petites
bosses cancéreuses pouvant créer
des complications.

Si l'un de ces symptômes se manifeste,
consultez votre médecin.

RAPPELEZ-VOUS : UNE BONNE ALIMENTATION VOUS
PROTÉGERA DE NOMBREUX PROBLÈMES CAPILLAIRES.

L'ALIMENTATION ET LA SANTÉ CAPILLAIRE

La qualité et la beauté de nos cheveux
dépendent de l'état général de notre santé.

Les stress importants, la prise régulière de
certains médicaments, les changements
hormonaux, l'alimentation, l'abus de café,
d'alcool, de sel ou de sucre peuvent perturber
l'assimilation des éléments nutritifs nécessaires à la santé et à la pousse des cheveux.

La santé du cuir chevelu et des cheveux est
tributaire d'une alimentation variée et riche
en vitamines du complexe B et en minéraux.
Mal nourris, les cheveux poussent moins
vite, deviennent fragiles, se dévitalisent et se
détachent du follicule.

LES BESOINS EN MINÉRAUX ET EN
OLIGOÉLÉMENTS DES CHEVEUX

✂ **Le calcium et le silicium**
participent à la croissance et
entretiennent la résistance du
cheveu. Un cheveu riche en
silicium tombe moins vite et
brille davantage. Les principales
sources alimentaires de calcium
sont les produits laitiers de vache
et de chèvre, les aliments enrichis
de calcium (boissons de riz et de
soya), les sardines et le saumon
avec arêtes, les légumes verts,

les légumineuses, les graines oléagineuses et certains fruits.

✄ **Le fer** est à surveiller, parce qu'en présence d'anémie, même légère, la chute de cheveux est fréquente. Prenez note que certains nutriments sont nécessaires à l'assimilation du fer, comme la vitamine C, l'acide folique et les vitamines B6 et B12. Augmentez votre consommation de céréales de grains entiers et de légumes.

✄ **Le magnésium** est un minéral protecteur et régulateur du système nerveux. Un surcroît de magnésium peut s'avérer utile dans les cas où le stress est un facteur de perte de cheveux. Ce sont les noix crues, les graines de soya, et les légumes verts et feuillus qui en contiennent le plus.

✄ Le soufre possède une action anti-séborrhéique reconnue qui est mise à profit dans les produits antipelliculaires. **La cystéine,** un acide aminé soufré hydrosoluble, joue un rôle essentiel dans la structure de la kératine et est très importante pour le renouvellement des cheveux. Aux repas, mangez plus de crucifères (chou, chou-fleur, choux de Bruxelles), d'oignon, d'ail, d'œufs et de légumineuses.

✄ **Le zinc** aussi est important. Une carence en zinc peut accentuer la chute des cheveux et la formation de pellicules. Pour un bon apport en zinc, mangez régulièrement des céréales de grains entiers, de la levure de bière en capsules, du son et des fruits de mer.

LES BESOINS EN VITAMINES DES CHEVEUX :

✄ **La vitamine B1 (thiamine)** est importante parce qu'elle contient du soufre, un élément indispensable à la synthèse de la kératine.

✄ **La vitamine B2 (riboflavine)** possède une action bénéfique sur la croissance et la brillance du cheveu. Sa présence aide à contrôler la sécrétion exagérée de sébum.

✂ **La vitamine B3 (niacine)** favorise l'oxygénation des capillaires du follicule, un élément important pour la croissance du cheveu.

✂ **La vitamine B5 (acide pantothénique)** est fréquemment utilisée pour aider à stopper la chute des cheveux.

✂ **La vitamine B6 (pyridoxine)** joue un rôle antipelliculaire et antiséborrhéique, et contribue à ralentir la perte des cheveux. Elle favorise aussi l'utilisation de la précieuse cystéine.

✂ **La biotine,** souvent appelée vitamine H et parfois vitamine B8, est une substance riche en soufre, utile pour remédier aux dermatites séborrhéiques et favoriser la repousse des cheveux. Associée aux vitamines B5 et B6, elle est indiquée pour les cas de pelade.

✂ **La vitamine B12** est à considérer, surtout en présence d'anémie. Les vitamines du **groupe B** proviennent surtout des céréales de grains entiers, des aliments germés, des légumes verts frais, des algues, des champignons, de la levure de bière, du foie et des viandes maigres.

✂ **La vitamine C** est une vitamine antioxydante qui participe à la synthèse du collagène, renforce le système immunitaire, active la cicatrisation des plaies et augmente l'absorption du fer. Ce sont les fruits, la tomate, le poivron et les crucifères qui en contiennent le plus.

✂ **La vitamine D,** souvent surnommée la « vitamine soleil », est indispensable à l'absorption du calcium et participe à la croissance et au maintien du squelette. Augmentez votre consommation d'huile de foie de poisson, d'œufs, de champignons et de produits laitiers.

✂ **La vitamine E,** une autre vitamine antioxydante, est reconnue pour améliorer la microcirculation cutanée, ce qui favorise la nutrition du bulbe pileux et la croissance du cheveu. Les huiles de première pression à froid, les noix crues et les graines oléagineuses en sont les meilleures sources alimentaires.

✂ **Les acides gras essentiels oméga 3 et oméga 6,** autrefois appelés vitamine F, sont indispensables à la structure de toutes nos cellules. Leur carence se manifeste par une peau et un cuir chevelu très secs, la présence de pellicules, des cheveux cassants et sans lustre. Ce sont les huiles de poisson, les huiles de première pression à froid, les graines oléagineuses et les noix crues qui en contiennent le plus.

Une alimentation saine et équilibrée, des heures de sommeil et de relaxation raisonnables, une bonne gestion du stress et une activité physique de 30 minutes par jour contribueront à prolonger la durée de vie du cheveu, à favoriser sa repousse et à stimuler la production de kératine. Retenez que ce sont d'abord et avant tout les aliments qui doivent nous nourrir, mais qu'en présence d'un problème de santé particulier, des suppléments de vitamines et de minéraux peuvent être indiqués. Un naturopathe compétent saura vous conseiller. Sachez que ce qui favorise la santé des cheveux peut aider à les sauver et assure aussi la qualité des ongles et de la peau.

CHAPITRE 3

» Les soins capillaires

MINIQUIZZ

Les poux peuvent sauter d'une
personne à l'autre

vrai ◯   faux ◯

FAUX. Les poux sont incapables de sauter ou de voler. Ils peuvent cependant se servir de leurs trois paires de pattes pour grimper très rapidement le long des tiges des cheveux.

UN CHEVEU ABÎMÉ NE GUÉRIT PAS, MAIS
IL PEUT ÊTRE TEMPORAIREMENT RÉPARÉ.
SON APPARENCE PEUT ÊTRE GRANDEMENT
AMÉLIORÉE PAR UN BON TRAITEMENT, MAIS
SEULE UNE COUPE RÉGULIÈRE PERMET LE
MAINTIEN D'UNE CHEVELURE SAINE.

LE SHAMPOING

Après chaque lavage, les cheveux se couvrent d'une foule de substances : produits cosmétiques, produits coiffants, microbes, poussières, parasites, sébum, sueur et j'en passe ! De là l'importance d'un bon nettoyage avant la mise en plis, sans compter celle d'une bonne hygiène capillaire de base.

LES CINQ PRINCIPAUX INGRÉDIENTS
DE BASE DES SHAMPOINGS :

✂ **L'eau.** Le shampoing se compose principalement (de 50 % à 70 %) d'eau, à laquelle s'ajoutent des détergents, des agents moussants et des produits traitants et adoucissants.

✂ **Les détergents.** Le laurethsulfate de sodium est un produit hautement détergent qui entre dans la fabrication de la plupart des shampoings. Il a pour effet de nettoyer, par dissolution, les impuretés des cheveux et d'emprisonner les substances graisseuses. Activé par sa réaction avec l'eau du robinet, il entraîne avec elle les graisses et les saletés.

✄ **La mousse.** Autre élément de base du shampoing, la mousse, qui est une manifestation du laurethsulfate de sodium ou du cocamidopropyl bétaïne, a pour effet de stabiliser l'émulsion du détergent, ce qui lui permet d'entraîner les résidus vers l'évier. Toutefois, la qualité d'un shampoing n'a rien à voir avec la quantité de sa mousse ; un bon shampoing peut n'être que légèrement moussant.

✄ **Les produits traitants et adoucissants.** Les huiles et autres extraits végétaux ou animaux, les vitamines, les protéines et autres visent simplement à améliorer l'apparence des cheveux. Tous ces produits restent sur vos cheveux afin de les réparer une fois leur nettoyage terminé. Pour mieux connaître ces ingrédients, référez-vous aux pages 158-159. Leur connaissance vous aidera à comprendre les propriétés de votre shampoing.

✄ **Les additifs.** Les divers additifs ajoutés au shampoing remplissent diverses fonctions. Ce sont des stabilisateurs, des adoucisseurs de mousse, des antioxydants (pour éviter l'oxydation des matières premières), des antiferments, des antiseptiques, des colorants (pour une belle présentation), des filtres UV et des parfums.

Un bon shampoing se rince bien, il est biodégradable et donne une mousse stable. Il ne devrait pas dessécher vos cheveux ou votre cuir chevelu, ni donner une sensation de gras après le rinçage.

COMMENT SE FAIRE UN BON SHAMPOING ?

Auparavant, vous devriez brosser vos cheveux pour les séparer et les débarrasser de tout produit coiffant. Cela fait, mouillez-les bien et appliquez sur vos mains une quantité raisonnable de shampoing. Faites mousser ce dernier dans vos cheveux avec le bout de vos doigts, pendant de deux à quatre minutes. Ensuite, rincez.

Si vous sentez que le shampoing mousse insuffisamment (ce qui peut être signe qu'il reste encore des impuretés dans vos cheveux), vous pouvez répéter l'opération pour une plus courte durée, puis rincer à fond. Ne vous laissez pas impressionner par les shampoings haut de gamme, qui sont souvent hors de prix ! Lisez la liste des ingrédients : vous aurez la surprise de retrouver la même composition dans les produits moins chers. Prenez le temps de comparer...

L'IMPORTANCE DU pH

Le pH est une mesure de l'acidité ou de l'alcalinité d'une solution par rapport à l'eau pure, laquelle est considérée comme neutre. L'échelle du pH varie de 0 à 14, l'eau pure ayant un pH de 7. Une solution ayant un pH plus grand que 7 est dite alcaline, tandis qu'une solution dont le pH est plus petit que 7 est dite acide.

Notez également qu'une solution qui a un pH de 3 est plus acide (ou moins alcaline) qu'une solution qui a un pH de 4 et que, inversement, une solution qui a un pH de 13 est plus alcaline (ou moins acide) qu'une solution dont le pH est de 12.

Une solution acide (pH entre allant de 3 à 6) agit sur les cheveux comme un conditionneur ; elle referme les cuticules, emprisonne la couleur et donne de la brillance. En revanche, une solution alcaline (pH de 8 et plus) ouvre les cuticules et assèche les cheveux, mais en les nettoyant en profondeur.

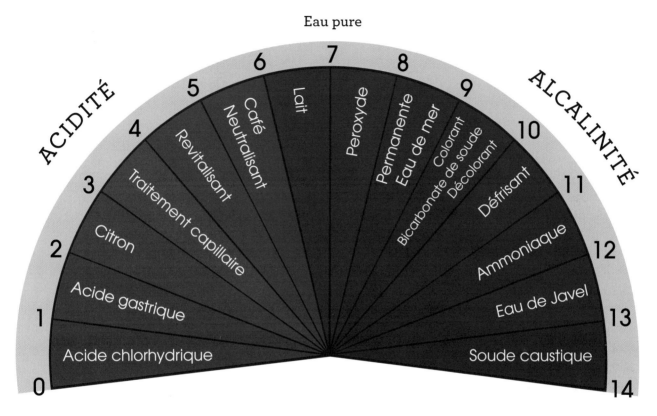

0 à 2
Acide fort
Endommage les cheveux

12 à 14
Base forte
Endommage les cheveux

ÉCHELLE DU pH

Dans les grandes villes où l'eau est traitée, le pH est généralement neutre (7). À la campagne, cependant, où l'eau vient souvent d'un puits ou d'une source, le pH varie selon la région et le type de sol.

L'eau de la mer a un pH de 8, ce qui en fait une eau alcaline. Elle aura donc pour effet de mêler vos cheveux et même de les ternir ; souvenons-nous que l'alcalinité ouvre les cuticules. C'est pourquoi il convient d'apporter un shampoing acide lorsqu'on projette des vacances au bord de la mer.

La peau a un pH de 5,6. Si elle entre régulièrement en contact avec un shampoing ou tout autre produit quotidien ayant un pH inférieur à 3 ou supérieur à 8, il se peut que votre cuir chevelu se déshydrate. Vous vous en apercevrez alors par l'apparition de pellicules, une sécrétion accrue de séborrhée et la formation de petites lésions. De tels shampoings ou produits ne devraient donc pas être utilisés de façon régulière.

Le pH des shampoings varie généralement entre 3 et 6. Celui des shampoings « traitants » est de 4 ou 5. En coiffure, les produits acides sont les semipermanents, les shampoings et les shampoings colorants et les neutralisants à permanentes. Le pH est alcalin dans les colorations, les permanentes, les décolorants et les défrisants.

LES TYPES DE SHAMPOINGS

LE SHAMPOING QUOTIDIEN

Le shampoing quotidien sert à nettoyer les cheveux légèrement tous les jours, ainsi qu'à les revitaliser en leur procurant leurs nutriments quotidiens. Il ne doit évidemment pas être agressant pour la chevelure. On y trouve souvent des huiles (notamment de noix de coco) et des protéines de blé, parmi beaucoup d'autres ingrédients typiques de cette catégorie de shampoings.

LE SHAMPOING À VOLUME

Destiné, comme son nom l'indique, à donner du volume aux cheveux, il les rend plus légers, élimine tout ce qui les recouvre et leur apporte des ingrédients hydratants plus légers que nos propres huiles corporelles, par exemple le **panthénol,** qui ajoute de l'élasticité aux cheveux ou des polymères qui leur confèrent de la flexibilité lors du séchage. Rappelez-vous que des cheveux sans huiles ni hydratants peuvent produire de l'électricité statique, d'où l'importance des ingrédients ajoutés au shampoing.

Plusieurs fabricants recourent aussi à des ingrédients comme l'**hydroxyéthyl** (souvent accompagné d'un autre nom). C'est un antistatique qui donne du corps aux cheveux.

LE SHAMPOING POUR CHEVEUX SECS

Le shampoing pour cheveux secs a pour utilité de réhydrater les cheveux, et non de réparer les cheveux cassés. Toutefois, il accroîtra leur élasticité, les rendant du même coup moins cassants. Le **pentanol** est un ingrédient couramment utilisé à cette fin. Par son action, le shampoing pour cheveux secs procure de la brillance et élimine l'électricité statique à l'aide d'huiles essentielles ou de glycérine. De plus, il fera en sorte que vos cheveux soient plus faciles à démêler. Rappelez-vous que les cheveux ne se guérissent pas, mais qu'ils se réparent temporairement (voir Les traitements capillaires, page 53).

IMPORTANT : LE SHAMPOING POUR CHEVEUX SECS PEUT AVOIR POUR EFFET D'ALOURDIR VOS CHEVEUX ET DE RENDRE VOTRE CUIR CHEVELU PLUS GRAS. IL POURRAIT AINSI ARRIVER QUE, DE TROP SECS QU'ILS ÉTAIENT, VOS CHEVEUX DEVIENNENT ALORS TROP GRAS, AUQUEL CAS ILS MANQUERAIENT TOUT AUTANT DE CORPS QUE S'ILS ÉTAIENT SECS. EN PAREIL CAS, FAITES ALTERNER VOTRE SHAMPOING POUR CHEVEUX SECS AVEC UN SHAMPOING POUR CHEVEUX NORMAUX OU À USAGE FRÉQUENT. SI VOUS AVEZ LES CHEVEUX SECS, IL SE PEUT QUE VOTRE SHAMPOING OU UN DE VOS PRODUITS CAPILLAIRES SOIT EN CAUSE. CHANGEZ VOS HABITUDES ; VOUS METTREZ PEUT-ÊTRE AINSI LE DOIGT SUR LE COUPABLE.

LE SHAMPOING POUR CHEVEUX GRAS

Les shampoings pour cheveux gras portent le plus souvent l'appellation de « shampoings nettoyant en profondeur » (*deep remove*) ou de shampoings « désincrustants » (*deep cleanser*). Quand on a les cheveux gras, il faut en trouver la cause plutôt que de déshydrater notre cuir chevelu avec un shampoing qui pourrait, à long terme, accentuer le problème. Commencez par remplacer votre shampoing actuel, qui pourrait tout simplement être en cause.

Ensuite, vérifiez si votre alimentation a changé depuis quelque temps. Il pourrait en résulter une réaction temporaire entraînant une surproduction de sécrétions capillaires.

Peut-être que vos shampoings quotidiens ont pour effet de suractiver votre cuir chevelu. Espacer les lavages pourrait y remédier.

Frottez-vous, ou même grattez-vous trop souvent votre cuir chevelu lorsque vous vous lavez les cheveux ? Vos glandes sébacées pourraient en être surstimulées.

Utilisez-vous du revitalisant ? Vos cheveux n'en ont peut-être pas besoin. Il se pourrait que votre shampoing suffise. De plus, assurez-vous de ne PAS appliquer votre revitalisant à la racine des cheveux. À déconseiller en tout temps.

Si rien de tout cela n'est en cause, il vous faut alors un shampoing nettoyant en profondeur ou pour cheveux gras.

Pour éviter de provoquer une surproduction de sébum en réaction à une déshydratation excessive, lavez vos cheveux aux deux ou trois jours seulement. Si vous devez les laver quotidiennement, faites-le en alternant avec un shampoing pour cheveux normaux. Ce faisant, vous régulariserez peut-être la production séborrhéique et éviterez une aggravation exponentielle du problème.

L'un des ingrédients les plus populaires, le cocamidopropyl bétaïne, élimine la saleté et les bactéries sans assécher la peau ni la sensibiliser.

ATTENTION : LES SHAMPOINGS ANTIPELLICULAIRES NE CONVIENNENT PAS POUR REMÉDIER AUX CHEVEUX GRAS ! ILS CONTIENNENT DES INGRÉDIENTS À BASE DE ZINC QUI NE PRODUIRONT PAS L'EFFET VOULU.

LE SHAMPOING POUR CHEVEUX COLORÉS

L'effet de ce shampoing est d'éviter le délavement de la couleur des cheveux. Il agit tout en douceur avec des ingrédients très hydratants pour les cheveux et le cuir chevelu. Étant donné qu'une fois par mois, votre cuir chevelu sera sensibilisé par les produits alcalins de l'opération de coloration, ces shampoings présentent l'avantage de le réhydrater tout au long des semaines ultérieures. Les adeptes des colorations et des mèches comprendront l'importance d'utiliser un shampoing spécialement fait pour cheveux colorés. La diméthicone (qui protège la peau), le cocoamphodiacétate de disodium (qui nettoie en profondeur la saleté et les bactéries sans assécher les peaux sensibles et sans délaver la couleur) et l'alcool cétylique (qui adoucit les cheveux) comptent au nombre des produits qu'on trouve dans ce type de shampoings. Recherchez des shampoings contenant de la benzophénone 4 pour une protection UVA ou UVB.

LE SHAMPOING PIGMENTÉ

Renfermant des pigments, le shampoing pigmenté a pour fonction d'étendre une mince couche de couleur sur les cheveux à chaque lavage afin d'en garder et même d'en rehausser la coloration. Dans la plupart des cas, il n'a pas ou n'a que peu de propriétés nettoyantes. Il doit être utilisé de concert avec un shampoing servant réellement à laver. Cependant, son application doit être postérieure à ce dernier. L'ordre inverse diminuerait et pourrait même annuler l'effet du shampoing pigmenté.

LES SHAMPOINGS ANTIPELLICULAIRES

Tous les shampoings antipelliculaires ont un fort pouvoir désincrustant. Leur utilité première est d'éliminer les pellicules, les peaux sèches, le surplus de gras (dans le cas des pellicules grasses). Appliquez ensuite des produits traitants destinés à réhydrater les cheveux et le cuir chevelu.

IMPORTANT : CE TYPE DE SHAMPOING PRÉSENTE UN INCONVÉNIENT POUR LES CHEVEUX COLORÉS ; CERTAINS INGRÉDIENTS DÉSINCRUSTANTS PEUVENT DÉCOLORER LES CHEVEUX ET, DU MÊME COUP, LES RENDRE MOINS BRILLANTS. SI VOUS AVEZ BESOIN D'UN SHAMPOING ANTIPELLICULAIRE ET QUE VOUS AVEZ LES CHEVEUX COLORÉS, NE VOUS EN SERVEZ PAS QUOTIDIENNEMENT. COMME SHAMPOING DE RECHANGE, UTILISEZ UN SHAMPOING PIGMENTÉ DE LA MÊME COULEUR QUE VOTRE COLORATION. L'INGRÉDIENT LE PLUS SOUVENT PRÉSENT DANS LES SHAMPOINGS ANTIPELLICULAIRES EST LE ZINC (PYRITHIONE DE ZINC ET CARBONATE DE ZINC), DONT L'ACTION N'EST PAS SEULEMENT ANTIPELLICULAIRE, MAIS AUSSI FONGICIDE, BACTÉRICIDE, ASTRINGENTE ET ANTISEPTIQUE. UN SHAMPOING ANTIPELLICULAIRE DOIT ÊTRE LAISSÉ DANS LES CHEVEUX QUELQUES MINUTES AFIN D'ÊTRE EFFICACE.

Quels que soient les ingrédients mis à contribution, optez pour un shampoing antipelliculaire homologué par Santé Canada. La présence d'un numéro à huit chiffres précédé des lettres « DIN » atteste que le produit contient des ingrédients médicamenteux approuvés pour la vente au Canada.

Quel que soit le shampoing, les ingrédients de base seront à peu près les mêmes. Lisez bien la liste des ingrédients sur les étiquettes et souvenez-vous qu'ils y figurent par ordre décroissant de concentration, donc plus ils sont loin sur la liste, moins leur quantité est grande. La plupart des ingrédients (du moins ceux qui ne figurent pas dans les cinq premiers ingrédients) ne représentent pas plus de 1 % de la composition totale du shampoing. Ils sont présents en quantité si infime qu'il est peu probable qu'ils fassent la moindre différence. Ne vous laissez pas séduire par les mots « enrichi de ». Voyez plutôt la liste détaillée des ingrédients.

LES REVITALISANTS

Il importe de faire la différence entre un revitalisant et un traitement. Les deux produits n'ont pas la même fonction. Le revitalisant est destiné à améliorer l'élasticité des cheveux, à leur donner de la brillance et certains nutriments (dans quelques cas), et ce, temporairement. Il doit surtout aider au démêlage des cheveux et avoir un effet antistatique. L'ingrédient qui revient le plus souvent, le **chlorure de cétrimonium**, a pour but de rendre plus douces et flexibles les cuticules des cheveux et de les revitaliser en profondeur. Le pentanol, quant à lui, procure une plus grande élasticité aux cheveux. C'est un ingrédient anticassure. Les revitalisants ne sont pas indispensables, mais si vous croyez en avoir besoin, appliquez-en seulement sur les longueurs et les pointes de vos cheveux, **jamais sur le cuir chevelu.**

LE REVITALISANT SANS RINÇAGE

Ces revitalisants ont les mêmes propriétés que les revitalisants ordinaires, sauf qu'ils ne sont pas conçus pour saturer les cheveux. Ils présentent l'avantage de pouvoir être appliqués dans des zones précises et d'éviter les pertes de volume.

Comment choisir votre revitalisant ? La plupart des fabricants de produits coiffants offrent un revitalisant en accompagnement de leur shampoing. C'est là une heureuse pratique, car les ingrédients se complètent bien dans la plupart des cas.

LES TRAITEMENTS CAPILLAIRES

Depuis plusieurs années, les traitements capillaires ont beaucoup évolué en raison de la grande popularité des mèches et de la coloration capillaire. Chaque mois, on trouve de nouveaux traitements sur le marché, ce qui en complique le choix. Comment s'y retrouver?

La plupart des traitements se composent d'un surfactant (ou composé tensioactif) dérivé de l'huile de coco ou de ricin. Chaque fabricant a sa recette, conçue selon le cas pour les cheveux colorés, dépourvus de volume, etc. Il importe de se rappeler qu'un cheveu abîmé ne guérit pas et qu'il ne peut que se réparer temporairement. Il peut être traité avec succès, mais si on arrête le traitement après quelques lavages, il reviendra à son état initial (il se videra de son traitement et perdra son hydratation). Il n'existe aucun produit dont les effets sont permanents.

Seule la coupe régulière de vos cheveux pourra y faire quelque chose. En matière de traitement, il s'agit donc d'en choisir un que vous aurez les moyens de renouveler régulièrement. Rien ne sert de payer cher : comparez les cinq premiers ingrédients de différents produits et vous serez surprise !

Les traitements capillaires sont acides, avec un pH d'environ 3,5 (voir L'importance du pH, page 47), ce qui a pour effet de refermer les cuticules des cheveux. Personnellement, je suggère un traitement à base de protéines (kératine ou autre) pour les cheveux cassés ou très endommagés. Il importe de bien lire les indications du fabricant avant l'application, car certains traitements ont un temps de pose très court ne dépassant pas 3 ou 7 minutes. Une pose trop longue pourrait donner un effet contraire ! C'est pourquoi il NE FAUT PAS DORMIR toute une nuit avec un traitement protéiné dans les cheveux.

De même, il n'est pas recommandé d'activer un traitement à la chaleur (sous l'action d'un séchoir, d'un bonnet en plastique ou d'une serviette chaude), sauf si le mode d'emploi le demande.

MES MEILLEURES RECETTES DE GRAND-MÈRE

POUR LES CHEVEUX SECS

Mélangez et appliquez sur les cheveux des quantités égales d'huile de noix de coco, d'huile d'olive, d'huile d'amande douce et d'huile de ricin. Appliquez par sections à l'aide d'un pinceau, en massant les cheveux pour faire pénétrer les huiles. Ensuite, entourez la tête à l'aide d'une serviette pour plusieurs heures ou même pour toute la nuit. Après le temps de pose, rincez et lavez avec un shampoing doux (de tous les jours ou pour cheveux normaux).

Si vous aimez vraiment les recettes maison, donnez-vous un shampoing aux œufs, pour usage fréquent, en mélangeant quatre jaunes d'œufs avec une cuillère à thé de miel (le miel a pour effet de retenir l'humidité dans les cheveux) et le jus d'un citron. Battez le tout et appliquez comme un shampoing normal.

POUR LES POINTES FOURCHUES

Appliquez du beurre de karité sur les longueurs et les pointes par petites sections. Massez le tout pour faire pénétrer, puis enveloppez la tête d'une serviette chaude et humide ou directement sortie de la sécheuse. Portez une heure et lavez les cheveux au shampoing doux sans frotter. Effectuez ce traitement une fois par semaine ou au besoin.

LA LOTION APRÈS PLAGE

Très alcaline, l'eau de mer a un pH d'environ 8,3 (voir L'importance du pH, page 46) qui a pour effet d'ouvrir vos cuticules et de rendre vos cheveux secs et fourchus. Dans un pulvérisateur, mélangez deux tasses de thé vert et le jus d'un citron (le pH du citron est de 2,9). Appliquez après le shampoing ou directement après la plage. NE PAS APPLIQUER AU SOLEIL ! Le citron pourrait altérer votre coloration.

POUR LES CHEVEUX GRAS

Sur les cheveux non lavés, appliquez de l'huile de cade par petites sections avec un pinceau. Massez pour faire pénétrer. Enveloppez ensuite les cheveux dans une serviette pendant une heure, puis lavez-les avec un shampoing doux (pour cheveux normaux ou de tous les jours).

LE SHAMPOING AUX HUILES ESSENTIELLES

Pour un shampoing aux huiles essentielles fait maison, ajoutez quelques gouttes d'huile essentielle à un mélange à parts égales d'eau et de shampoing de tous les jours.

- ✂ **Cheveux normaux :** 10 gouttes d'huile de lavande, 15 gouttes d'huile de thym et 15 gouttes d'huile de romarin.

- ✂ **Cheveux secs :** 20 gouttes d'huile de sauge, et 20 gouttes d'huile de santal.

- ✂ **Cheveux gras :** 20 gouttes d'huile de citron et 20 gouttes d'huile de romarin.

LA LOTION APRÈS-SHAMPOING, SANS RINÇAGE, IDÉALE POUR LES CHEVEUX GRAS

Dans un pulvérisateur, mélangez deux tasses de thé vert, pressez-y un citron et ajoutez-y quelques gouttes d'huile essentielle de lavande et de thym. Sur cheveux propres et mouillés, appliquez cette lotion que vous pouvez rincer au besoin.

LA LOTION DE BRILLANCE POUR TOUS TYPES LES DE CHEVEUX (EXCEPTÉ LES CHEVEUX BLONDS COLORÉS)

Dans un pulvérisateur, mélangez deux tasses de thé vert légèrement infusé et quatre cuillères à soupe de vinaigre de vin (pH de 3,5 à 5). Saturez les cheveux et attendez une minute pour ensuite rincer à l'eau froide. Prenez bien garde de ne pas faire entrer en contact avec les yeux !

LE TRAITEMENT AUX ÉPINARDS ET À LA LAITUE

Dans un mélangeur, versez deux tasses d'épinards, deux tasses de laitue et deux tasses de thé vert. Mélangez. Avant d'aller au lit, appliquez sur toute la tête et enveloppez avec une serviette. Le matin suivant, lavez.

LA LOTION POUR LES CHEVEUX GRAS

Massez le cuir chevelu avec un mélange à parts égales d'huile de jojoba, d'huile d'eucalyptus et de patchouli. Laissez agir de 15 à 20 minutes, puis lavez-vous les cheveux.

LE SHAMPOING D'ARGILE VERTE

Délayez une quantité d'argile verte dans une infusion de thé vert de manière à produire une pâte fluide. Ajoutez-y un peu de sel marin et quelques gouttes d'huile essentielle de citron.

LE TRAITEMENT À L'AVOCAT POUR LES CHEVEUX DESSÉCHÉS

Dans un mélangeur, versez deux jaunes d'œuf, un avocat mûr et huit gouttes d'huile essentielle de thym. Appliquez cette crème sur vos cheveux, puis couvrez-vous la tête à l'aide d'un bonnet de douche en plastique. Laissez agir 30 minutes et lavez la tête en profondeur.

LE SHAMPOING SEC

Brossez vos cheveux et saupoudrez-les de fécule de maïs additionnée de quelques gouttes d'huile essentielle de lavande. Massez ensuite le cuir chevelu et brossez jusqu'à ce que la poudre ait disparu.

CHAPITRE 4

» Bien choisir sa coiffure et son coiffeur

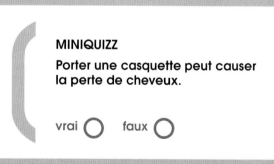

MINIQUIZZ

**Porter une casquette peut causer
la perte de cheveux.**

vrai ○ faux ○

IL EST SOUVENT PRÉFÉRABLE DE TIRER
AVANTAGE DE NOS « DÉFAUTS » PLUTÔT
QUE DE CHERCHER À LES CORRIGER.
ILS AJOUTENT DE LA PERSONNALITÉ
AU VISAGE ET LE RENDENT UNIQUE.

Pour le coiffeur, la morphologie se limite à l'étude de la forme du visage et elle consiste tout simplement à déterminer la coiffure et la coupe qui conviendront le mieux au visage étudié.

Pour établir votre profil morphologique, il vous faudra au moins deux miroirs. Vous devrez également vous lisser les cheveux vers l'arrière afin de bien voir la forme de votre visage (note : vous devriez être démaquillée). Il existe six principaux types morphologiques de visages (vus de face) et quatre types de profils importants. Mesdames, vous n'avez pas toutes le visage rond, comme vous vous l'imaginez ! Pour en avoir le cœur net, faites l'analyse décrite ci-dessous.

Le visage dit « parfait » est ovale. Étant le plus agréable à l'œil, c'est celui-là que vous essaierez de recréer avec votre coiffure. Gardez toujours à l'esprit que personne n'est parfait : Marylin Monroe louchait, Cléopâtre avait un long nez et Julia Roberts a une bouche disproportionnée par rapport au reste de son visage ! Voilà donc trois exemples parmi d'autres qui illustrent à merveille la possibilité de mettre à profit certaines particularités morphologiques. À moins d'être de véritables « défauts », ces particularités ne devraient pas être corrigées. Il est en effet souvent préférable de tirer avantage de vos « défauts » plutôt que de chercher à les rectifier : ils ajouteront de la personnalité à votre visage et le rendront unique.

Proportions de la tête

✂ la section **cérébrale** (de l'implantation des cheveux au dessous des sourcils) ;

✂ la section **respiratoire** (du dessous des sourcils au bas du nez) ;

✂ la section **digestive** (du dessous du nez au bas du menton).

Ces trois sections devraient être d'une longueur égale dans un visage bien équilibré.

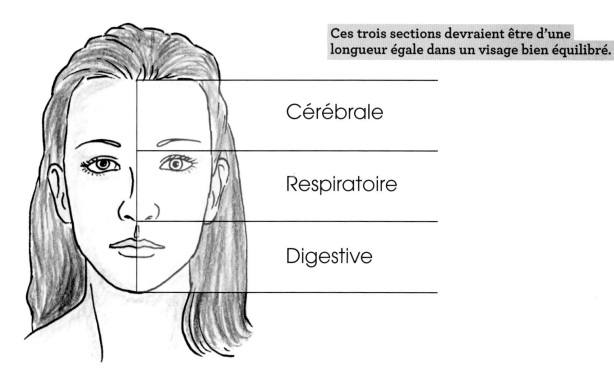

Cérébrale

Respiratoire

Digestive

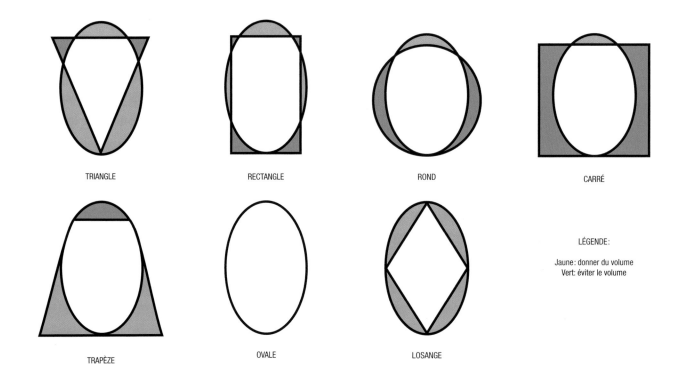

TRIANGLE RECTANGLE ROND CARRÉ

TRAPÈZE OVALE LOSANGE

LÉGENDE:

Jaune: donner du volume
Vert: éviter le volume

LA FORME DU VISAGE ET LE VOLUME

Une autre unité de mesure : votre œil. Mesurez la largeur de votre œil. Idéalement, la largeur, votre visage devrait mesurer cinq « yeux » à partir de l'implantation intérieure de vos cheveux, soit d'une guiche (tempe) à l'autre. En longueur, votre visage devrait mesurer six ou sept « yeux » à partir de la pousse supérieure centrale de vos cheveux, soit du front, jusqu'à votre menton.

La pointe de vos cheveux est une flèche indicatrice pour attirer les yeux des gens qui vous regardent. Elle peut servir à détourner leur attention d'un défaut, ou l'attirer sur une de vos qualités morphologiques, comme vos yeux ou vos lèvres.

LA MORPHOLOGIE DU VISAGE OVALE

Le visage ovale se définit par un équilibre parfait. Sa rondeur est légèrement allongée à la verticale, les pommettes y sont définies et l'espace entre les deux yeux est égal à la largeur d'un œil. Un visage ovale s'harmonise avec presque tous les styles de coiffures, car la forme parfaite est déjà atteinte.

ON DIT DE LA FEMME AU VISAGE OVALE QU'ELLE A BESOIN D'ÊTRE ENTOURÉE ET COMPRISE.

LA MORPHOLOGIE DU VISAGE ROND

Le visage rond se reconnaît à sa rondeur très prononcée. La « longueur » verticale et l'horizontale y sont pratiquement égales. Les muscles masséters (section de la joue entre l'oreille et l'œil) sont développés près des yeux ou rehaussés d'une couche de graisse.

Pour corriger cette morphologie, il faut ajouter du volume sur le dessus de la tête et dégager le bas du visage. On peut obtenir le même résultat en laissant pendre le plus droit possible les cheveux qui entourent le visage : ils procureront une impression de longueur à la verticale. Toutefois, il importe alors que les cheveux

dépassent légèrement le menton afin de ne pas souligner le début de la courbe qui y mène.

ON DIT DE LA FEMME AU VISAGE ROND QU'ELLE EST ÉPANOUIE ET SOCIABLE.

LA MORPHOLOGIE DU VISAGE CARRÉ

Le visage carré est aussi long que large. La mâchoire et le front sont prononcés en largeur.

Pour y remédier, on opte pour une coiffure enveloppante, qui entoure le visage à l'aide de mèches arrondies. On obtiendra ainsi la forme ovale tant convoitée, en plus d'un certain volume sur le dessus de la tête. Évitez le volume sur les tempes, sur les côtés et au niveau du cou. Ce qu'il faut, c'est une frange arrondie, c'est-à-dire plus courte au centre du visage et plus longue sur les côtés, qui donnera encore plus d'effet circulaire au visage.

ON DIT DE LA FEMME AU VISAGE CARRÉ QU'ELLE EST FRANCHE ET DIRECTE.

LA MORPHOLOGIE DU VISAGE RECTANGULAIRE

Le visage rectangulaire est un visage plus long que large qui se caractérise par des côtés droits, un menton court ainsi qu'une mâchoire et un front prononcés en hauteur.

Pour le corriger, il faut mettre un léger volume sur le dessus de la tête et sur les côtés. Optez pour une frange en angle et allongée si les cheveux dépassent la mâchoire. En créant ainsi un visage à demi couvert, vous tromperez l'œil. Le visage rectangulaire peut aussi être compensé, comme le visage carré, par une coupe courte et arrondie qui enveloppe le visage. Cependant, la « ligne d'horizon », soit la longueur des cheveux, doit arriver à la bouche pour que l'attention ne porte pas sur tout le visage.

ON DIT DE LA FEMME AU VISAGE RECTANGULAIRE QU'ELLE ASPIRE À UNE PLACE IMPORTANTE DANS LA SOCIÉTÉ.

LA MORPHOLOGIE DU VISAGE TRIANGULAIRE

Souvent très près du visage ovale, le visage triangulaire présente un bel équilibre, mais le menton se termine par un « v » plus prononcé.

On corrige l'étroitesse du menton en donnant une illusion de largeur au moyen de la chevelure à la hauteur de la nuque. Évitez

les cheveux très courts ou portez-les avec des guiches. Dans le cas d'une coupe courte asymétrique (très court d'un côté et plus long de l'autre), le côté le plus long doit rejoindre le menton et même le dépasser légèrement. Si vous avez les cheveux longs, évitez de les attacher en queue de cheval. Laissez plutôt sur la nuque des mèches qui seront visibles de face et même sur les tempes. Si vous le pouvez, bouclez ces mèches et, mieux encore, donnez-leur du volume.

ON DIT DE LA FEMME AU VISAGE TRIANGULAIRE QU'ELLE EST IMPRÉVISIBLE.

LA MORPHOLOGIE DU VISAGE EN LOSANGE

Le visage en losange se caractérise par un front dont le point central forme un triangle avec les tempes. La même configuration s'observe au bas du visage : les muscles masséters, très prononcés sous les yeux, provoquent une descente en « v » jusqu'au menton. Ce type de visage se compose donc de deux triangles inverses.

On pourra le corriger notamment en évitant de lisser les cheveux. Attachez-les plutôt en leur donnant du volume sur les tempes, mais surtout pas sur la tête. Quelques mèches dans le cou et sur les tempes peuvent améliorer le coup d'œil. Pour les cheveux courts, on accroîtra le volume sur les tempes, on pourra en donner un peu, s'il y a lieu, sur le dessus de la tête et on conservera sur la nuque des cheveux qu'on rendra visibles de face pour donner de la largeur à la mâchoire. Le bas du visage peut être corrigé comme dans le cas du visage triangulaire. Les coupes asymétriques s'y prêteront bien, mais à condition de produire du volume sur les tempes. La frange large peut également être utile pour le haut du visage.

ON DIT DE LA FEMME AU VISAGE EN LOSANGE QU'ELLE EST GÉNÉREUSE ET AIMABLE, ET QU'ELLE ADORE LES GENS.

Notez qu'il est possible que votre visage réunisse des caractéristiques de plus d'un type.

LA MORPHOLOGIE DU VISAGE EN TRAPÈZE

Le visage en trapèze se caractérise par un front et des tempes étroites. Dans certains cas, les yeux sont plus rapprochés et la mâchoire est prédominante bien qu'elle soit arrondie, car les joues sont souvent plutôt rondes. Pour corriger cette morphologie, il faut ajouter un peu de volume sur les tempes et au sommet de la tête, pour créer un équilibre avec les joues et allonger le visage. Portez vos cheveux sur les joues (des guiches pour les cheveux courts et des mèches de chaque côté des joues pour les cheveux longs et droits). Il est préférable que la longueur des cheveux dépasse la mâchoire pour allonger le visage vers le bas. Le volume au niveau de la nuque et la coupe convexe sont à éviter. Si vous désirez porter une frange, elle doit être portée de côté pour dégager une partie du front, surtout si les yeux sont rapprochés. Si vous ne portez pas de frange, dégagez le front pour donner de la longueur au visage.

ON DIT DE LA FEMME AU VISAGE TRAPÈZE QU'ELLE EST TIMIDE, DISCRÈTE ET DÉTERMINÉE.

LES PROBLÈMES MORPHOLOGIQUES ET LEURS CORRECTIONS

DES YEUX RAPPROCHÉS

Évitez de porter les cheveux près des yeux. Ils accentuent leur rapprochement. Optez plutôt pour des cheveux dégagés aux tempes. Évitez toute coiffure qui enveloppe. Il vous faut un visage dégagé !

UN FRONT LARGE

Portez une frange épaisse et d'une bonne longueur, si possible, ou une longue frange en angle. Coiffez vos cheveux vers l'avant, au niveau des tempes et près des yeux. Si le front est plus large que les oreilles, compensez en donnant du volume au niveau de celles-ci.

UN FRONT COURT AVEC UNE POUSSE BASSE

Portez une frange courte et épaisse, débutant presque au-dessus de la tête. Coupez la frange au-dessus des sourcils en les dégageant. On aura alors l'impression que le front continue sous les cheveux.

UN GRAND FRONT

Une frange courte au-dessus des sourcils procurera l'illusion que le front est plus court. Évitez les franges minces, qui pourraient laisser transparaître la peau du front. Le « trompe-l'œil » pourrait y perdre en efficacité.

UN FRONT BOMBÉ

Évitez l'effet de masse et de volume sur le front. Portez une frange mince. Donnez de la prédominance à vos joues en les dégageant pour les amplifier. Vous obtiendrez ainsi un équilibre avec le front.

UN FRONT FUYANT

Portez une frange avec du volume. À défaut de frange, coiffez vos cheveux vers l'avant en amassant du volume sur le front.

DES POMMETTES TROP SAILLANTES OU TROP GROSSES

Coiffez vos cheveux vers l'avant, sans effet de volume, pour couvrir une partie des pommettes.

UN LONG MENTON

Portez une frange avec du volume afin de compenser le menton. Votre profil s'en trouvera amélioré.

UN MENTON FUYANT

Évitez les cheveux lisses et les queues de cheval, qui ont pour effet de tirer le profil vers l'arrière. Ayez plutôt des cheveux sur le côté du visage. Les franges volumineuses vers l'avant sont également à éviter, car elles accentueraient la fuite du menton. Les cheveux plats ou vers l'arrière, avec volume à la nuque pour bien encadrer le bas du visage, conviendraient beaucoup mieux.

UN NEZ LARGE

Un visage dégagé donnera de la largeur au nez. Donc, pour l'amincir, ajoutez du volume sur le dessus de la tête et sur les côtés pour faire paraître votre nez plus proportionné à l'ensemble.

UN NEZ LONG

Évitez les cheveux séparés au milieu. Une séparation sur le côté sera de loin plus avantageuse. En outre, du volume sur le front fera équilibre avec le nez et masquera ainsi sa prédominance.

UN NEZ QUI POINTE VERS LE HAUT

Coiffez les cheveux vers le bas pour créer une diversion qui trompera l'œil.

UN NEZ QUI POINTE VERS LE BAS

Coiffez les cheveux vers le haut pour obtenir un trompe-l'œil agissant en sens inverse.

UN VISAGE RIDÉ

Créez un mouvement souple vers le haut du visage en le dégageant. Évitez les cheveux droits, sans dégradé, autour du visage, ainsi que les cheveux trop longs. Ils ont pour effet d'accentuer les rides et de les étirer vers le bas. Optez plutôt, si vous portez les cheveux longs, pour une série de dégradés entourant votre visage dégagé.

UN LONG COU

Portez vos cheveux mi-longs pour envelopper votre cou, en gardant peu de volume sur le dessus de la tête.

UN COU COURT

Évitez les cheveux longs. Une nuque courte où l'on voit la peau du cou sera beaucoup plus avantageuse. La coupe concave peut également être une option si vous ne voulez pas y perdre en longueur sur le devant. En outre, du volume sur le dessus vous avantagera.

UNE PETITE TAILLE

Évitez les cheveux longs, qui auraient pour effet d'écraser votre silhouette. Trop de volume donnera également l'impression que vous avez une tête trop grosse pour votre corps, ce qui amplifierait votre défaut au lieu d'y remédier. En revanche, juste ce qu'il faut de volume sur le dessus de la tête pourra avantageusement vous grandir d'un pouce, sans effet d'exagération.

UNE GRANDE TAILLE

Évitez le volume sur le dessus de la tête : une coiffure trop volumineuse pourrait vous donner un air surréaliste. Optez pour des cheveux longs ou mi-longs, en proportionnant leur volume à leur longueur.

UNE FORTE TAILLE

Rappelez-vous que la pointe de vos cheveux est une flèche indicatrice qui attire l'attention sur une partie de votre corps. Voilà pourquoi les femmes fortes doivent renoncer à utiliser leurs cheveux pour se couvrir, comme elles ont si souvent tort de le faire. Au contraire, dégagez votre corps ! Ainsi, si vous avez des fesses volumineuses, les cheveux très longs tombant au milieu du dos ne constituent pas un bon choix, puisqu'ils attirent l'attention sur ce qu'il y a au-dessous... De même, si vos épaules sont plutôt larges, il est préférable que vos cheveux n'y reposent pas, pour éviter la forme triangulaire (de dos comme de face) qui accentuerait leur largeur sans compter que les gens auront tendance à suivre la ligne de vos cheveux et ainsi à porter leur regard sur vos épaules. Il vaut donc mieux opter pour une coupe qui ne fait que frôler les épaules, ou plus courte encore, avec un volume proportionné au corps. Une coiffure ascendante pourrait également convenir. Enfin, si vous avez une petite tête, les cheveux droits et plats auront tendance à faire paraître votre tête encore plus petite qu'elle ne l'est. Évitez les cheveux trop courts, sans volume. Toujours équilibrer le volume des cheveux avec notre stature.

LE PROFIL

Pour obtenir le profil « parfait », il faut atteindre l'ovale. Les trois éléments à surveiller à cette fin sont :

- le front : est-il bombé ou angulaire ?

- le nez : est-il long ou court ?

- le menton : est-il long, court ou fuyant ?

LE VISAGE DROIT

Le visage droit se caractérise par son absence de forme : un front plat, un nez petit et un menton court. Dans plusieurs cas, la section arrière du crâne n'est que légèrement bombée ou absente. Pour améliorer ce profil, évitez les lignes trop droites que forment les cheveux droits, longs et plats. Ils rendront le profil encore plus dur et sévère. La solution est d'ajouter un peu de volume et de rondeur à la nuque entre le vertex et l'occipital, en optant pour une coiffure fluide et simple.

LE VISAGE CONCAVE

Ce visage se définit par un front présent, mais surtout par un menton prédominant. Dans certains cas, le nez peut être court. Évitez les coiffures plates, qui accentueraient la concavité. La frange souple avec un peu de volume peut donner des résultats très satisfaisants.

LE VISAGE ANGULAIRE

Le visage angulaire se reconnaît à son front fuyant qui, du même coup, accentue la section arrière de la tête. Évitez de tirer vos cheveux vers l'arrière pour ne pas accentuer votre fuite frontale. Corrigez avec du volume sur le front.

LE VISAGE CONVEXE

Le visage convexe se caractérise par un menton fuyant. On peut même y retrouver un front légèrement fuyant. Évitez les coiffures plates et les franges avec volume. Pour corriger, créez derrière la tête un volume bien dosé destiné à compenser ces deux déficits faciaux.

En terminant, l'éternelle question : de quel côté séparer nos cheveux et placer notre frange ?

Aucun visage n'est entièrement symétrique, nous avons tous un côté plus droit et un côté descendant. Pour déterminer vos côtés, regardez les coins extérieurs de vos yeux devant un miroir et repérez quel coin est plus tombant que l'autre : c'est votre côté descendant. Ce côté donnera l'effet d'un œil en forme d'amande, donc plus petit, alors que l'autre œil semblera plus ouvert et plus grand. À vous de choisir... Dégager le côté descendant en dirigeant votre frange du côté opposé donne un look *sexy* et mystérieux, tandis qu'une frange du côté descendant (qui dégage le côté droit) conférera à votre visage une apparence plus symétrique. Une séparation au milieu met en valeur un visage symétrique, car elle met l'accent sur les deux côtés, mais elle pourra, par contre, accentuer un visage asymétrique.

CHEZ LE COIFFEUR

COMMENT CHOISIR SON COIFFEUR ?

Vous pouvez vous colorer les cheveux vous-même, faire votre mise en plis et désormais, à l'aide de ce livre, vous pouvez également couper votre frange ! Cependant, vous aurez toujours besoin d'un bon coiffeur pour la coupe de vos cheveux. Il est important de bien le choisir pour conjurer la peur, voire la phobie que certaines d'entre vous peuvent éprouver à l'égard des coiffeurs.

Les étapes à suivre pour faire le bon choix

1] Regardez tout d'abord les magazines de coiffure, de mode ou d'art. Choisissez trois photos de coupes de cheveux que vous aimez et trois que vous n'aimez pas. Ces photos peuvent également être prises dans votre propre album photo. Pour ce qui est des maga-

zines, les modèles qui y figurent sont certes toujours des beautés ! Dites-vous toutefois que la beauté et la jeunesse n'ont rien à voir avec le style. Rappelez-vous les formes de votre visage et trouvez des modèles qui vous ressemblent. Ne tremblez pas de comparer votre visage avec celui d'une vedette d'Hollywood...

APRÈS CETTE RECHERCHE, À L'ATTAQUE !

2] Trouvez un coiffeur dans votre région à l'occasion d'une sortie de magasinage ou entre amies. Si vous rencontrez une personne dont la coupe et la couleur s'harmonisent bien avec sa morphologie, même si ce n'est pas votre style, demandez-lui où elle s'est fait coiffer. Si son coiffeur a su tirer le meilleur parti de sa morphologie, les chances sont bonnes pour qu'il puisse faire de même avec vous ! Sachez que les coiffeurs connaissent plus d'une coupe ! Ne soyez pas mal à l'aise de vous informer à son sujet. Votre interlocutrice sera de toute façon flattée de se faire dire qu'elle a une belle tête !

3] Faites la tournée des salons. Ne vous fiez pas d'emblée aux bannières renommées ou aux dimensions du local. En coiffure, le talent, c'est l'être humain. Demandez un rendez-vous de « consultation » avec un coiffeur. Tout coiffeur soucieux de sa clientèle vous accordera volontiers entre 3 et 10 minutes de son temps. Certains peuvent vous facturer quelques dollars qui seront le plus souvent remboursables au prochain rendez-vous. Informez-vous au préalable. Notez qu'un coiffeur qui vous refuse une consultation ne sera peut-être pas celui dont vous avez besoin, spécialement si vous êtes craintive.

4] Pendant votre consultation, demandez au coiffeur de vous dire ce qu'il voit dans vos cheveux. Ensuite, montrez-lui les photos des styles que vous n'aimez pas, en lui indiquant précisément en quoi ils ne vous plaisent pas. Par la suite, faites de même avec les photos des styles que vous aimez. Prenez soin de signaler les détails importants, comme la frange et les dégradés. Précisez vos préférences. Ensuite viendra la description de ce que vous savez faire avec vos cheveux. Bonne ou très bonne mise en plis avec rouleaux chauffants, par exemple. Décrivez votre routine. Vous devriez également faire la nomenclature des produits coiffants que vous utilisez. Votre coiffeur pourra alors déterminer s'ils seront compatibles avec le nouveau look que vous désirez. Il vous suggérera peut-être d'investir et d'en apprendre davantage sur l'entretien de ce look. Vous pourrez alors juger s'il est possible de l'insérer dans votre routine.

LA COULEUR

En ce qui concerne la couleur, demandez à voir le mèchier afin de pouvoir vous faire une idée de ce qui vous conviendrait le mieux. Notez que la couleur apparaissant sur ces mèchiers peut être plus flamboyante et brillante que sur vos cheveux. Tout dépend de leur état.

Afin de mieux comprendre les explications de votre coiffeur et de mieux communiquer vos besoins et vos désirs, prenez connaissance du lexique de la coiffure (voir page 75). Nul besoin de vous dire combien une bonne communication entre vous et votre coiffeur est importante !

PETIT LEXIQUE DE LA COIFFURE

LES COUPES

Le dégradé long

La mèche qui se situe au sommet de la tête reste longue, ce qui procure un dégradé léger au bas des cheveux.

Le dégradé court

La mèche qui se trouve au sommet est courte ou très courte, ce qui procure un dégradé beaucoup plus prononcé et un plus grand effet de mouvement et de texture.

La coupe concave

La nuque est plus courte et fait un angle qui donne un cheveu plus long en avant. Peut s'accompagner d'un dégradé court ou long.

La coupe au carré avec ou sans dégradé

La coupe au carré est définie par la même longueur en avant qu'en arrière, peu importe cette longueur. Peut être dégradée.

La coupe arrondie

La coupe arrondie donne un effet circulaire. La frange doit être en ogive (arrondie), ainsi que les contours du visage. Peut être dégradée.

La coupe asymétrique

Un côté de la coupe est plus long que l'autre. Peut se faire dans le dégradé.

Le bob

La coupe est marquée par une ligne solide à la base.

Le champignon

Elle est beaucoup plus longue sur le dessus qu'au dessous. Marquée par une ligne contour.

La mohawk

Les deux côtés sont beaucoup plus courts que le dessus (ils peuvent même être rasés). Le dessus finit en forme de pointe.

LA MISE EN PLIS

Les cheveux droits

Les cheveux droits ne sont pas nécessairement dépourvus de volume. Ils sont simplement droits de la racine à la pointe, sans la moindre ondulation. De plus, la pointe ne tourne pas du tout. Avec ou sans volume.

Les cheveux droits avec pointes tournées vers l'intérieur ou l'extérieur

Droits de la racine aux longueurs, la pointe pouvant tourner vers l'extérieur ou l'intérieur.

Les cheveux ondulés

Les cheveux forment une légère vague. Ils peuvent être courts ou longs. L'opération peut être exécutée à la brosse ou avec de gros rouleaux.

Les cheveux frisés

On peut recourir au diffuseur, pour les cheveux qui frisent au naturel, ou au fer à friser ou aux petits rouleaux pour les cheveux dépourvus de frisant.

Les cheveux effilés

On obtient une texture inégale dans le dégradé et plus mince dans la pointe. Cette technique de finition aide à dissimuler les étages de dégradé.

La coloration semi-permanente

Coloration translucide qui procure aux cheveux plus de luminosité. Souvent utilisée sur les mèches pour changer les reflets.

Les mèches ton sur ton

Mèches dans les mêmes tons que les cheveux. Souvent plus claires, elles sont très discrètes, mais donnent de la luminosité aux cheveux. Elles aident à définir le dégradé des cheveux.

Le démaquillant capillaire ou décapant

Traitement qui enlève la coloration foncée pour ensuite en appliquer une plus pâle.

Le mordançage

Traitement à appliquer avant la coloration afin de permettre aux écailles des cheveux de bien s'ouvrir pour capter la couleur. Utilisé par le coiffeur dans le cas de cheveux vierges ou blancs, difficiles à colorer.

Le temps de pose

Temps de développement de la couleur permanente ou autre traitement chimique.

La précoloration ou *filler*

Application d'une précoloration mélangée avec une base d'eau préalablement à la coloration. Se fait dans la même journée, dans le but de remplir les cheveux pour éviter l'effet de décoloration (comme la couche de fond appliquée sur les murs avant la peinture).

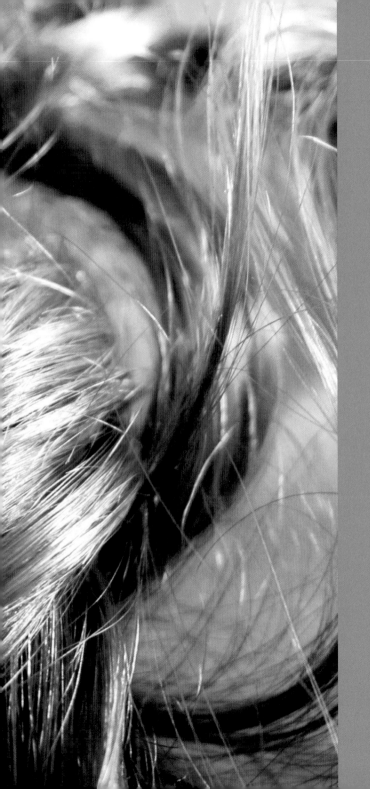

CHAPITRE 5

» La coiffure et la mise en plis

MINIQUIZZ

Raser les cheveux ou les couper peut en favoriser la pousse et les renforcer.

vrai ◯ faux ◯

FAUX. Les cheveux poussent par la racine. Par conséquent, les couper souvent ou les couper court n'aide en rien leur repousse. Cette croyance vient probablement du fait que les végétaux poussent par les deux extrémités (racine et tige).

POUR BIEN COMPRENDRE LE PRINCIPE DE
LA MISE EN PLIS, RAPPELEZ-VOUS QUE C'EST
LORSQUE VOS CHEVEUX SONT MOUILLÉS
OU CHAUFFÉS QU'ILS SONT MALLÉABLES.
ILS PRENNENT DONC LEUR FORME FINALE,
UNE FOIS SECS ET BIEN REFROIDIS.

TECHNIQUE 1

Le diffuseur

Pour obtenir un bel effet bouclé, utilisez un shampooing spécialement conçu pour les cheveux bouclés. Si vous avez besoin d'hydratation, recourez au revitalisant appartenant à la même gamme de produits pour cheveux frisés. Vous trouverez sur le marché de nombreux produits de mise en plis pour cheveux bouclés, dont des activateurs de boucles aptes à renforcer les boucles faibles. Pour une belle forme de coiffure, le dégradé joue un rôle très important. Assurez-vous d'avoir la bonne coupe de cheveux.

1] Sur des cheveux bien essorés, appliquez une bonne quantité de mousse ou de votre produit pour les boucles, tête en bas, en chiffonnant les cheveux avec les doigts de la racine à la pointe. Assurez-vous d'appliquer le produit uniformément sur l'ensemble de la chevelure.

Étape 1

Étape 2

Étape 2

Étape 2

Étape 2

2] À l'aide d'un séchoir et d'un diffuseur, commencez le séchage de la tête vers le bas. Soulevez la racine avec les doigts en chiffonnant les cheveux par intermittence avec des mouvements légers.

Il importe de garder la tête dans le sens du diffuseur pour obtenir le maximum de volume. Pour moins de volume, placez la tête dans le sens inverse du diffuseur.

Résultat

TECHNIQUE 2

La frange

Couper sa frange soi-même peut rapidement tourner à la catastrophe. Il convient d'évaluer quelques points importants avant d'entreprendre la coupe de la frange. Il faut d'abord définir le tombant naturel (la pousse) de votre frange et prendre garde aux épis (rosettes). On doit ensuite déterminer l'épaisseur et la longueur voulues. Le séchage de la frange est tout aussi important que la coupe. Le procédé suggéré ici facilitera la mise en plis de la frange, même dans le cas des cheveux rebelles. Munissez-vous de ciseaux longs et d'un séchoir avec embout.

1] Après avoir mouillé vos cheveux (ne mouillez que la frange si vos cheveux sont déjà mis en plis), isolez-en la frange. Débutez à un point situé à la racine des cheveux sur le haut de la tête et descendez de manière à former un V, en déterminant la largeur voulue. Il importe de suivre le mouvement naturel des cheveux.

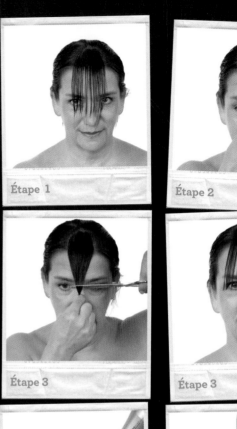

Étape 1

Étape 2

Étape 3

Étape 3

Étape 4

Étape 4

Pas de quoi s'arracher les cheveux !

2] Sans exercer de tension, ramenez vers le milieu du nez les cheveux à couper.

3] Devant un miroir, coupez d'un seul trait la frange sous la ligne des sourcils au moyen de ciseaux longs. Veillez à couper légèrement plus long que la longueur voulue, car les cheveux prendront du volume au séchage et il sera alors plus facile d'en corriger la longueur Vous obtiendrez ainsi une frange légèrement en ogive (arrondie).

4] À l'aide d'un peigne, séchez la racine de la frange en oscillant de gauche à droite. Cette technique est idéale pour combattre les épis et les franges rebelles. Terminez le séchage de la pointe à l'aide d'une brosse ronde.

5] Si vous le désirez, corrigez la coupe des coins de la frange en prenant bien garde de toujours couper les cheveux à partir du centre du visage vers l'extérieur pour éviter les erreurs. Il est préférable d'utiliser des ciseaux longs, puisqu'ils vous permettront de couper bien droit. Utilisez le creux de votre nez comme appui. Vos ciseaux doivent être stables et ne pas être en suspension.

Étape 5

Résultat

TECHNIQUE 3

La mise en plis

Pour réussir une belle mise en plis, il importe d'employer les instruments et les produits qui conviennent à notre type de cheveux. Notez que les étapes seront les mêmes pour les cheveux courts. Pour bien comprendre le principe de la mise en plis, rappelez-vous que c'est lorsque vos cheveux sont mouillés ou chauffés qu'ils sont malléables. Ils prennent donc leur forme finale seulement une fois secs et bien refroidis, d'où l'importance de sécher à fond les cheveux et d'attendre qu'ils soient bien refroidis avant de considérer que la mise en plis est terminée.

1] Démêlez bien les cheveux et essorez-les, puis appliquez le produit coiffant en peignant de manière à le répartir uniformément de la racine à la pointe.

Utilisez toujours le séchoir avec son embout, car cela contribuera à accroître la brillance de vos cheveux et à

Étape 1

Étape 1

Étape 2

Étape 2

Étape 2

Étape 2

y diffuser la chaleur uniformément. Sécher la racine à rebrousse-poil avec une brosse plate afin de donner du volume à la chevelure.

Choisir la brosse appropriée au volume voulu. Une brosse trop grosse pourrait vous empêcher d'atteindre la racine.

2] Si vous avez une frange, commencez par la sécher. Isolez le dessus de la tête à l'aide d'une pince, puis séparez en deux la section inférieure. Entreprenez ensuite la mise en plis en séchant des racines aux pointes. Terminez le mouvement jusqu'à la pointe. Poursuivez la mise en plis du reste des cheveux en procédant par petites sections.

3] Pour donner une finition arrondie, enroulez la mèche autour de la brosse en séchant à la chaleur maximale, puis laissez refroidir la mèche en gardant la brosse en position. Vous pouvez aussi utiliser le réglage refroidissant de votre séchoir. Déroulez délicatement la brosse lorsque la mèche sera refroidie.

Étape 2

Étape 2

Étape 2

Étape 3

Étape 3

LA PERMANENTE

La permanente est un excellent moyen de changer la texture de vos cheveux, mais il est très important de connaître quelques règles avant d'en commencer l'usage. En tout premier lieu, il convient de faire un test de porosité pour vous assurer que la santé de vos cheveux est suffisante pour subir une telle transformation chimique. En effet, si vous avez des mèches, que vos cheveux ont déjà été décolorés, défrisés ou qu'ils font l'objet de tout autre traitement chimique puissant, la permanente pourrait est risquée et même dangereuse pour vos cheveux. Tout comme le décolorant capillaire, la permanente est une transformation parmi les plus chimiques que vos cheveux puissent recevoir. Elle en change complètement la structure interne.

Évaluez les besoins de vos cheveux et le type de vos boucles. Avez-vous besoin d'une texture ou d'un frisé très solide ? Plus de volume ou moins ? Le choix des rouleaux est très important, tout comme la méthode d'enroulage. Vous pouvez même recourir à deux grosseurs de rouleaux disposés en alternance pour obtenir un effet plus naturel, ou répartis dans des zones différentes selon vos besoins.

L'enroulage de la permanente se fait sur cheveux humides. Il convient donc de bien essorer à la serviette au préalable. Il est préférable de faire un shampoing doux non traitant. Ne frottez pas le cuir chevelu ou contentez-vous de l'effleurer pour prévenir toute irritation.

IL EST BIEN IMPORTANT DE SUIVRE LES DIRECTIVES DU FABRICANT.

N'oubliez pas de neutraliser vos cheveux à la fin à l'aide du produit destiné à cette opération et attendez 48 heures après la permanente avant de laver vos cheveux. Saturez bien vos cheveux et n'excédez pas le temps de pose : le résultat pourrait être catastrophique. Évitez aussi les coulisses sur votre visage.

Enroulement
traditionnel

Enroulement
gonflant

ORIENTATION DES RACINES

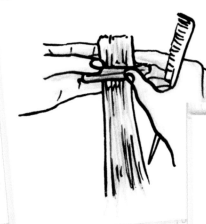

ENROULAGE DES POINTES

MONTAGE EN BRIQUES

TECHNIQUE 4

Le crêpage

Pour augmenter le volume de votre chevelure, il faut une coupe appropriée et des produits conçus à cette fin, notamment des shampoings. Le type de brosse est aussi important, mais il existe depuis toujours une technique infaillible pour donner du volume : le crêpage.

1] Il importe de suivre le mouvement de la mise en plis pour en conserver le style. Soulevez une mèche et tenez-la fermement entre vos doigts sur le dessus de la tête.

2] À l'aide d'un peigne à dents serrées, commencez le crêpage en allant de la pointe vers la racine, en un seul mouvement délicat et léger, tout en retenant toujours la pointe et en maintenant une tension sur les cheveux.

Étape 1

Étape 2

Étape 3

Pas de quoi s'arracher les cheveux !

3] Après avoir crêpé les sections voulues, passez un peigne à dents serrées ou une brosse pour polir la surface de la mèche crêpée. Pour obtenir un crêpage plus ferme, vaporisez un fixatif à la base du crêpage avant de polir.

Résultat

TECHNIQUE 5

Les rallonges

Il existe plusieurs modes de fixation des rallonges, notamment la colle et les résines. Ces procédés semi-permanents (de quelques semaines à quelques mois) sont employés uniquement par des professionnels de la coiffure. Ces techniques, généralement coûteuses, consistent à coller de petites mèches de cheveux aux racines, ce qui donne un effet naturel.

En ce qui vous concerne, vous pourrez laver et sécher vos rallonges comme de vrais cheveux. Pour ne pas endommager vos cheveux, évitez de vous faire poser des rallonges plus de deux fois consécutives dans la même année. Le poids que vous ajoutez sur votre cuir chevelu et le surcroît de tension que vous imposez à la racine de vos cheveux peuvent être dommageables à long terme et entraîner une perte de cheveux importante. Pour ne pas endommager vos cheveux, évitez de vous faire poser des rallonges semi-permanentes plus de deux fois par année.

Il est aussi possible d'obtenir des rallonges en cousant les cheveux sur une mèche tressée très près du cuir chevelu. Cette technique semi-permanente, quoique très efficace, peut causer de l'inconfort les premiers jours.

Signalons également les rallonges de type postiche que vous pouvez enlever et remettre à votre guise. Faites sur mesure, elles se rattachent à l'aide de petites barrettes à une bande de cheveux à proximité de votre cuir chevelu. Elles n'endommagent pas les cheveux, adhèrent efficacement, se posent en quelques minutes et, si elles sont faites de cheveux naturels, vous pourrez les utiliser longtemps et en changer la couleur à votre guise. Il vous sera également possible de les traiter au fer plat pour les harmoniser à vos cheveux. Vous pouvez acheter des bandes de cheveux naturels dans les boutiques spécialisées. Voici comment les fabriquer et les installer vous-même à la maison.

Bande de cheveux naturels

1] Faites une première séparation d'une oreille à l'autre au niveau de la nuque.

2] Mesurez la longueur désirée en laissant un jeu de 2 cm de chaque côté de la tête pour éviter qu'on voie les rallonges dépasser sur les côtés. Doubler cette mesure afin de doubler l'épaisseur des rallonges.

3] Coupez les rallonges, puis cousez-les ensemble avec du fil à rembourrage ou à l'épreuve de l'eau. Le fil doit être résistant. Ensuite, cousez les barrettes aux extrémités.

Étape 1

Étape 2

Étape 2

Étape 3

Étape 3

Étape 3

4] Faites une deuxième séparation d'une tempe à l'autre à la hauteur des sourcils. Prenez la mesure des rallonges du devant d'une oreille à l'autre, en arrêtant plus ou moins à l'avant de l'oreille, selon votre physionomie. Ensuite, doublez votre mesure comme à l'étape 1. Cousez les sections et ajoutez les barrettes aux extrémités. Au besoin, on peut ajouter des barrettes au milieu pour plus de solidité. Vous pouvez fabriquer d'autres sections à votre guise pour ajouter de l'épaisseur à votre chevelure.

5] Si vous avez à colorer les rallonges, choisissez la couleur qui s'harmonise à vos cheveux et appliquez-la sur les rallonges en les laissant reposer sur un morceau de papier d'aluminium.

6] Pour poser les rallonges, commencez par crêper légèrement les cheveux. Fixez ensuite les rallonges en ouvrant les barrettes pour les insérer dans la section crêpée, puis fermez les barrettes. Procédez de la même manière avec les autres rallonges en les fixant dans les autres séparations.

Étape 4

Étape 4

Étape 5

Étape 6

Étape 6

Étape 6

Pas de quoi s'arracher les cheveux !

Étape 6

Résultat

TECHNIQUE 6

Les rallonges temporaires avec colle à faux cils

On recourt à cette méthode pour porter des mèches de couleur le temps d'une soirée. Utilisez de la colle à faux cils hydrofuge, car elle résistera mieux à la transpiration du cuir chevelu.

1] Choisissez une couleur de cheveux contrastante. Faites une séparation droite à l'horizontale sur une largeur de 2 à 5 cm. Prenez une bande de cheveux naturels ou synthétiques d'une largeur légèrement moindre que la largeur de la séparation.

2] Appliquez la colle à faux cils hydrofuge (*waterproof*) sur le cuir chevelu. Ensuite, appliquez de la colle sur la bande de tissu de votre rallonge et apposez colle sur colle en appuyant.

Étape 2

Étape 2

Étape2

Étape 3

3] Gardez une pression et séchez à l'air froid avec un séchoir. La colle deviendra transparente lorsqu'elle sera complètement sèche. Attendez une dizaine de minutes avant de vous peigner. Utilisez de l'huile pour bébé pour décoller les rallonges.

Résultat

TECHNIQUE 7

La queue-de-cheval

1] Vous aurez besoin de deux pinces à cheveux et d'un élastique.

2] Insérez les deux pinces à cheveux dans l'élastique.

3] Ramassez vos cheveux en queue-de-cheval.

4] Insérez la première pince à cheveux à la base de la queue-de-cheval en maintenant les cheveux en place d'une main.

5] Enroulez l'autre extrémité de l'élastique autour de la queue-de-cheval. Quand vous sentirez que l'élastique est bien tendu, insérez l'autre pince à la base de la queue-de-cheval en l'enfonçant aussi loin que possible. Cette queue-de-cheval est très solide et l'élastique ne tirera pas vos cheveux lorsque vous la déferez.

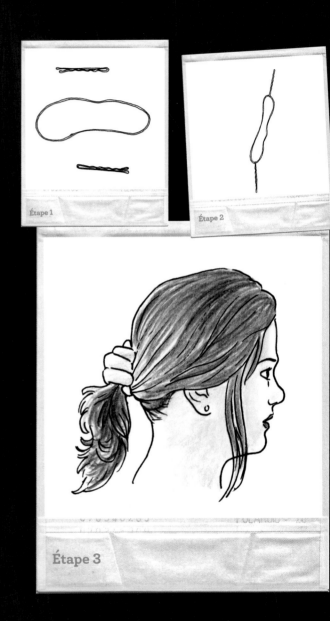

Étape 1

Étape 2

Étape 3

Étape 4

Étape 5

Résultat

TECHNIQUE 8

La coiffure de soirée (*twist*)

1] Séparez d'une oreille à l'autre et faites une queue-de-cheval sur le côté.

2] Descendez l'élastique au milieu de la queue-de-cheval.

3] Prenez la queue-de-cheval, tournez-la sur elle-même en l'enroulant vers le haut, le plus serré possible, puis insérez les pinces à cheveux dans le pli afin de les dissimuler.

4] Faites une séparation en diagonale des deux côtés de la tête à partir des tempes.

5] Tournez les sections des côtés sur elles-mêmes et les rabattre sous la base arrière du chignon. Attachez les sections avec des pinces à cheveux. Répétez avec l'autre côté.

Étape 1

Étape 1

Étape 2

Étape 3

Étape 3

Étape 4

Pas de quoi s'arracher les cheveux !

6] Crêpez la section du dessus à l'aide d'une brosse à crêpage ou d'un peigne à dents serrées. Polissez la section, tournez la pointe de la section en la poussant vers l'avant, enroulez-la sur elle-même, puis fixez-la.

Étape 6

Étape 6

Étape 4

Étape 5

Résultat

Étape 6

Étape 6

TECHNIQUE 9

La coiffure de soirée (tresse Victoria)

1] Tressez les cheveux sur le côté de la tête et attachez la pointe avec un élastique.

2] Ouvrez légèrement la tresse avec vos doigts afin d'obtenir une tresse lâche.

3] Saisissez fermement une petite mèche par la pointe, au centre de la tresse, tout en tenant l'élastique.

4] Poussez l'élastique vers le haut tout en retenant la petite mèche, ce qui aura pour effet de ramener la tresse près de votre cuir chevelu. La tresse prendra ainsi la forme d'un chignon avec une longue mèche centrale.

5] Fixez le chignon avec des pinces à cheveux.

6] Fixez la mèche centrale en l'enroulant autour du chignon.

Étape 1

Étape 2

Étape 3

Étape 4

Étape 3

Étape 4

Résultat

TECHNIQUE 10

La coiffure de soirée (*Noschese*)

1] Faites une séparation allant d'une oreille à l'autre sur le dessus de la tête. Isolez les côtés de la tête avec des pinces.

2] Séparez la section arrière en sourire, faites-en une queue-de-cheval, puis attachez-les avec un élastique en tissu.

3] Séparez une deuxième section en arrière, toujours en sourire, et attachez-la avec un élastique en tissu pour obtenir trois queues-de-cheval.

4] Prenez une section de la queue-de-cheval du milieu et enroulez-la lâchement sur elle-même. Saisissez une petite mèche au milieu de cette section et glissez le reste des cheveux vers le haut, le long de la mèche du milieu. Fixez le tout avec une pince à cheveux d'une couleur qui se rapproche le plus possible de la couleur des cheveux. Poursuivez de la même manière avec les trois queues-de-cheval.

Étape 1

Étape 1

Étape 2

Étape 2

Étape 3

Étape 3

Pas de quoi s'arracher les cheveux!

5] Prenez les sections des côtés et procédez de la même manière, puis rattachez vers l'arrière.

6] Crêpez la section du dessus à l'aide d'une brosse à crêpage ou d'un peigne, polissez-la, tournez-la sur elle-même une fois, puis fixez-la en arrière.

Étape 6

Étape 6

Étape 4

Étape 4

Étape 6

Étape 4

Étape 5

Résultat

TECHNIQUE 11

La coiffure Satine

Cette coiffure s'agence bien à une tenue de soirée ou peut être utilisée sur des cheveux qui frisent naturellement pour donner un effet de texture.

1] Utilisez des élastiques de tissu sans métal. Prenez une mèche et attachez l'élastique autour. Faites légèrement ressortir les cheveux de l'élastique en allant de la pointe à la racine. Bandez l'élastique en tirant sur les deux extrémités.

2] Vaporisez du fixatif sur la mèche et chauffez-la avec le fer plat. Laissez refroidir et retirez l'élastique. Répétez sur le contour du visage.

Étape 1

Étape 1

Étape 1

Étape 1

Étape 2

Étape 2

Étape 2

Résultat

La coiffure Marie-Yan

1] Prenez une mèche et vaporisez-y du fixatif. Enroulez-la autour du doigt, gardez la forme obtenue et retirez le doigt.

2] Chauffez avec le fer plat en tournant le fer autour de la mèche de façon uniforme.

3] Laissez refroidir en gardant la forme avec une pince à cheveux et répétez sur l'ensemble de la tête.

4] Relâchez les boucles. Notez que plus les mèches seront grosses, plus les boucles seront lâches. Inversement, plus les mèches seront petites, plus les boucles seront frisées. Prenez les mèches de façon aléatoire sur l'ensemble de la tête.

Étape 1

Étape 1

Étape 2

Étape 2

Étape 3

Étape 4

Résultat

CHAPITRE 6

» **L'art de la coloration**

MINIQUIZZ

Commencer la coloration à un jeune
âge amène la perte de cheveux.

vrai ◯   faux ◯

[LA COLORATION SOULIGNE LES TRAITS DE NOTRE PERSONNALITÉ OU TRADUIT L'ÉTAT D'ÂME DANS LEQUEL NOUS SOMMES À DIFFÉRENTES PÉRIODES DE NOTRE EXISTENCE. POURQUOI S'EN PRIVER ?]

» L'art de la coloration

Il semble facile de se faire une coloration à la maison. Seulement, entre la couleur souhaitée et la couleur obtenue, il y a parfois tout un monde. De fait, il vaut mieux avoir certaines connaissances préalables ; rares sont les personnes qui n'ont jamais eu une mauvaise expérience de coloration maison ! Pourtant, lorsqu'on fait le bon choix et qu'on utilise bien les produits, il est possible d'obtenir d'excellents résultats. Comment choisir la bonne couleur et comment l'appliquer ? Comment entretenir sa couleur ? Faut-il faire une décoloration ? Plus vous en saurez sur la coloration, plus vous serez en mesure de faire les bons choix.

Bien entendu, certaines d'entre vous ont plusieurs années d'expérience à leur actif, tandis que d'autres aimeraient se risquer dans l'aventure à condition de se prémunir des connaissances nécessaires, et que d'autres encore se sentent plus en sûreté entre les mains d'un professionnel.

Le présent chapitre contient tout ce que vous voulez savoir sur la coloration. Ainsi, celles qui souhaitent expérimenter la coloration à la maison pourront le faire sans

Pas de quoi s'arracher les cheveux !

crainte, tandis que celles qui préfèrent s'en remettre à un professionnel pourront mieux comprendre le travail du coloriste et se familiariser avec son vocabulaire. Les produits colorants professionnels étant dorénavant vendus dans de nombreux salons, ils feront partie de mon exposé, aux côtés des colorants vendus en pharmacie. À vous de faire le choix qui vous conviendra.

La coloration souligne les traits de notre personnalité ou traduit l'état d'âme dans lequel nous sommes à différentes périodes de notre existence. Ainsi, nous pouvons passer au rouge pour prendre notre place dans notre nouvelle vie, au blond pour être plus *sexy* ou au noir pour répandre une aura de mystère. Peu importe la raison du changement de couleur, les femmes ne devraient pas se priver de cette possibilité dont elles ont le privilège. Essayer une nouvelle couleur, c'est se lancer dans une nouvelle expérience. C'est pourquoi, avant de vous y risquer, que vous optiez pour une coloration maison ou en salon, avec des produits maison ou commerciaux, vous devez connaître certains détails pour mieux vous faire comprendre chez le

coiffeur ou mieux réussir vos expérimentations à la maison. Les caractéristiques de votre personnalité ainsi que l'effet recherché font partie des premiers facteurs à définir pour établir votre choix. Viennent ensuite votre carnation et, pour terminer, la couleur actuelle de vos cheveux. Ces facteurs vous permettront de déterminer s'il vous sera possible d'arriver à la couleur désirée en une seule étape et quels seront les risques encourus. Un changement de couleur peut être considéré comme un changement de maquillage ou même de garde-robe...

LES COULEURS FONCÉES

Les couleurs très foncées accentuent les traits du visage, les rides, la blancheur du teint, les manifestations d'acné et la couperose. Avant de vous aventurer dans une couleur foncée comme le noir, pensez-y bien et rappelez-vous que le retour en arrière se fait difficilement. Il se peut même que vous ayez besoin de l'aide d'un professionnel pour ce faire, et qu'il vous en coûte cher pour les traitements chimiques de démaquillage des cheveux. Et comme si ce n'était pas assez, vos cheveux risquent également de subir d'importants dommages !

Vous voulez foncer vos cheveux? Débutez avec une couleur plus pâle que celle que vous désiriez. Examinez l'effet produit, après quoi, si vous croyez pouvoir foncer davantage, il vous suffira de le faire dans les 48 heures suivant votre première coloration ou, de préférence, lorsque le moment sera venu du prochain traitement de coloration.

LES COULEURS CLAIRES

Avant d'entreprendre la section sur les couleurs pâles ou très pâles, rappelons la loi la plus importante de la coloration : AUCUNE COLORATION NE PEUT EN PÂLIR UNE AUTRE. Ce qui veut dire que vous ne pouvez pas pâlir vos cheveux par une coloration pâle appliquée sur votre coloration foncée, et ce, même après plusieurs semaines ou plusieurs mois ! Tant et aussi longtemps qu'un cheveu reste empreint d'une coloration foncée, il ne pâlira pas. Seule la nouvelle pousse acceptera la nouvelle coloration, ce qui donnera des paliers de différentes couleurs. Il vous faudra donc préalablement appliquer un démaquillant ou un décolorant sur les sections de vos cheveux qui portent toujours l'ancienne coloration, ou même les couper si

vous y consentez. Vous devrez choisir entre ces deux possibilités avant d'appliquer la nouvelle couleur.

Si vous avez les cheveux châtain moyen ou même blond foncé, essayez de ne pas vous laisser emporter par votre désir de les teindre en blond pâle ou très pâle. Un changement radical pourrait endommager vos cheveux, surtout s'ils sont déjà colorés. Allez-y plutôt de façon graduelle, de mois en mois, à raison de deux tons plus pâles à la fois. Il vous sera ainsi plus facile de vous adapter à cette nouvelle couleur et vos cheveux vous en remercieront.

POUR UN CHANGEMENT DE COULEUR NETTEMENT PLUS PÂLE, IL EST SUGGÉRÉ DE RECOURIR À DES TRAITEMENTS CAPILLAIRES PROTÉINÉS AVANT ET APRÈS, UNE OU DEUX FOIS PAR SEMAINE.

LES COULEURS À BASE DE ROUGE OU DE CUIVRÉ

Avant de s'aventurer dans les couleurs flamboyantes, il importe de savoir que porter du rouge, c'est attirer l'attention sur soi. D'autre part, le rouge, en raison de la nature de son pigment, est la plus instable des couleurs. Une dépigmentation (décoloration) des cheveux est donc plus rapide avec des rouges intenses après quelques shampoings, et plus rapide encore avec des cheveux poreux. Il s'ensuit que le rouge nécessite un entretien rigoureux. Notons également que le rouge fait ressortir les problèmes de rosacée, de couperose et demande un maquillage soutenu dans le cas des peaux laiteuses ou blanches. Évidemment, les taches de rousseur en sont accentuées, ce qui peut toutefois, dans plusieurs cas, s'avérer tout à fait charmant !

Avant de procéder

Pour savoir si votre couleur s'adaptera au teint de votre peau ou si elle produira l'effet que vous désirez, voici une méthode facile à suivre. Trouvez un bout de tissu ou de papier qui se rapproche de la couleur désirée. Lissez vos cheveux vers l'arrière (tout en étant démaquillée) et couvrez-les bien avec un linge ou une serviette blanche. En vous plaçant devant un miroir, approchez le tissu ou le papier près de votre visage. Vous aurez alors une bonne idée de votre choix.

Pour un simple effet naturel et sans risques, rappelez-vous que les carnations pâles se marient mieux avec les couleurs chaudes, dorées, cuivrées. Leur usage donnera un teint plus chaud. Les peaux mates, quant à elles, se marient plus ou moins bien avec les couleurs claires.

Pour savoir si vous avez un teint chaud ou froid, tenez-vous face à un miroir, placez d'un côté de votre visage une feuille de papier d'aluminium (teint froid), et de l'autre un morceau de tissu ou de papier doré (teint chaud). Vous verrez alors lequel vous va le mieux.

Les sourcils

N'oubliez pas que dans certains cas, vos sourcils devraient être colorés d'une couleur qui se rapproche de celle de vos cheveux. Si vous avez les sourcils naturellement foncés et que vous devenez blonde, un châtain clair serait suffisant pour leur donner un effet naturel. Pour les cheveux rouges ou cuivre, restez dans les mêmes tons, mais sans nécessairement aller jusqu'aux reflets rouges ou cuivrés pour les sourcils. La coloration des sourcils pouvant présenter certains risques, il est préférable de recourir aux services d'un spécialiste. Les fabricants de colorants capillaires de pharmacie contre-indiquent leur utilisation sur les sourcils et, surtout, sur les cils, ce qui pourrait causer la cécité.

LES COLORANTS CAPILLAIRES DE PHARMACIE

Longtemps, les produits colorants des pharmacies ont été discrédités par plusieurs et surtout par les coiffeurs, qui les jugeaient de piètre qualité. Peut-être avaient-ils raison à une certaine époque, mais de nos jours, il n'y a plus de raisons de s'en plaindre, puisque les fabricants sont les mêmes pour les colorants professionnels que pour ceux des pharmacies. Ils prennent tous soin de ne pas altérer vos cheveux par une mauvaise composition chimique.

L'existence de ces produits vous permet d'entreprendre vos colorations sans risques dans le confort de votre foyer, et ce, à moindre coût que dans un salon. C'est comme de la fine cuisine en plats surgelés ! Bien sûr, les nuances de reflets et de couleurs sont moins variées en pharmacie qu'en salon. D'autre part, les risques d'erreurs, ou même de catastrophes, eux, sont plus élevés... Souvenez-vous que l'erreur est simplement humaine et que le produit n'y est pour rien !

Premièrement, il faut LIRE !

Lisez les instructions sur la boîte et sur le fascicule à l'intérieur. Les produits ne fonctionnent pas tous de la même façon et les temps de pose sont différents pour plusieurs. Pour ces raisons, les emballages fournissent souvent un petit nuancier qui vous indique ce que deviendra votre couleur initiale après l'application. Ne vous fiez surtout pas à la photo de l'emballage. Elle représente seulement un exemple du résultat possible en matière de couleur, de reflets, de tonalité et de vibrance. Votre propre résultat ne sera pas nécessairement identique. (Souvenez-vous que tout dépend de votre couleur actuelle.)

Sur des cheveux vierges, on appliquera la totalité de la coloration. Il importe de passer un test d'allergie avant d'effectuer une coloration pour la première fois de votre vie. Comment faire ? C'est très simple : préparez un petit mélange du produit, à raison de quelques gouttes, et appliquez-le sur la peau de la nuque, sous les cheveux ou sous l'aisselle. Attendez 48 heures, puis vérifiez l'apparition des réactions suivantes :

✄ des rougeurs ;

✄ de l'enflure ;

✄ un picotement intense et constant ;

✄ des démangeaisons.

Si l'un ou plusieurs de ces signes se manifestent, vous êtes peut-être allergique au produit. Dans ce cas, renoncez à vous en servir. Dans le cas contraire, il est probablement inoffensif pour vous.

NOTEZ QU'APRÈS L'OUVERTURE DE L'EMBALLAGE DE CERTAINS PRODUITS, UN EFFET D'OXYDATION PEUT SE PRODUIRE, CE QUI RENDRA LA COLORATION INUTILISABLE APRÈS 48 HEURES. INFORMEZ-VOUS À CE SUJET AUPRÈS DE LA PERSONNE RESPONSABLE DES PRODUITS CAPILLAIRES OU CONSULTEZ LE SITE WEB DU FABRICANT.

LA RETOUCHE DES RACINES

On retouchera les racines dans les semaines suivant la coloration. Pour certaines personnes, le délai peut varier de trois à six semaines. Tout dépend de la vitesse à laquelle poussent vos cheveux ainsi que celle à laquelle apparaissent les cheveux blancs. L'écart entre votre coloration et la couleur naturelle de vos cheveux peut également être un facteur. L'important, c'est de ne pas procéder à une coloration intégrale (racines et pointes en même temps), car vos cheveux en deviendraient saturés de colorant et même, à la limite, abîmés par les oxydants. Vous vous retrouveriez alors avec des cheveux ternes et sans vie. Il s'agit donc de se limiter à la racine, en procédant raie par raie et de l'avant à l'arrière. Essayez autant que possible de ne pas empiéter sur l'ancienne coloration. Vous devrez également attendre le temps de pose indiqué sur la boîte.

Si vous désirez rafraîchir la couleur aux longueurs et aux pointes, il vous suffira de les soumettre également à la coloration. À cette fin, vous devrez au préalable malaxer la coloration pour qu'elle pénètre mieux. Si vous avez de la coloration en surplus, vous pouvez maintenant l'appliquer (sur les longueurs et les pointes). Cette étape devra être effectuée dans le dernier tiers du temps de pose total. En malaxant votre chevelure, ne procédez pas comme avec un shampoing, évitez de gratter votre cuir chevelu pour ne pas l'irriter.

NOTE : POUR LES CHEVEUX BLANCS, LES TEMPS DE POSE SONT GÉNÉRALEMENT PLUS LONGS.

LES CHANGEMENTS DE COULEUR

C'est avec les colorants de pharmacie que se produisent les plus grandes erreurs de coloration. Je vous rappelle le principe premier de la coloration : une coloration ne peut pas en pâlir une autre. Que vous utilisiez une coloration professionnelle ou de pharmacie, si vous avez les cheveux foncés, il ne vous servira à rien de choisir une couleur plus pâle. Le pâlissement des cheveux est un procédé un peu plus complexe. Vous devez « démaquiller » vos cheveux au préalable, c'est-à-dire enlever l'ancienne couleur avant de passer au pâle. Bien sûr, lorsqu'on veut, à l'inverse, passer du pâle au foncé, il suffit d'appliquer la couleur, en totalité, comme on le ferait sur des cheveux vierges.

NOTE : VOUS NE POUVEZ PAS JOUER, COMME CHEZ LE COIFFEUR, AVEC LES NUANCES DES COLORATIONS DE PHARMACIES, À MOINS QUE LE FABRICANT NE LE MENTIONNE DANS LE MODE D'EMPLOI. CES COLORANTS NE SONT PAS FAITS POUR ÊTRE MÉLANGÉS COMME CEUX DES PROFESSIONNELS. ÉVITEZ LA CATASTROPHE : NE LES MÉLANGEZ PAS !

PETITS TRUCS

LES CUIRS CHEVELUS SENSIBLES

Avant d'entreprendre la coloration, appliquez sur le cuir chevelu des petites quantités d'huile végétale ou de marque professionnelle. Évitez de toucher la racine de vos cheveux pour ne pas en altérer la coloration. L'idéal est d'utiliser l'applicateur de votre dernière coloration en n'oubliant pas de bien le rincer auparavant.

LES TACHES SUR LA PEAU

Le pourtour de votre visage se tache facilement ? En faisant attention pour ne pas toucher la racine de vos cheveux, appliquez à la lisière de vos cheveux de minces couches de gelée de pétrole. Pour les taches tenaces sur la peau, vous pouvez recourir à la cendre de cigarettes. Trempez un linge humide dans la cendre, puis frottez la peau tachée. Répétez au besoin et prenez ensuite soin de laver votre peau au savon doux. L'alcool à friction est également très efficace pour faire disparaître les taches de colorant sur la peau.

LE NETTOYAGE DU VISAGE

Le meilleur moyen de bien nettoyer le contour de notre visage, c'est de recourir à la technique du « dégainage » de la coloration.

Je m'explique : avant de rincer votre coloration, donc d'y ajouter de l'eau, frottez vigoureusement le contour de votre visage avec vos doigts pour y faire lever la coloration. Ensuite, effectuez le rinçage de vos cheveux, le shampoing ou toute autre opération conformément aux instructions accompagnant votre produit colorant.

LES TACHES SUR LES VÊTEMENTS

Il est toujours suggéré de porter de vieux vêtements pour faire une coloration à la maison. En cas de taches sur vos vêtements, l'idéal est de ne pas les diluer immédiatement. Couvrez plutôt de fixatif la région tachée et laissez sécher. Ensuite, passez à la lessive.

POUR PLUS DE BRILLANCE

Faites bouger la coloration en malaxant vos cheveux en même temps que votre « dégainage ». Ajoutez ensuite un peu d'eau et malaxez à nouveau. Pour l'étape suivante, soit le rinçage de la coloration, débutez à l'eau tiède et, après le shampoing, rincez à l'eau la plus froide que vous pouvez endurer. Le froid aura pour effet de refermer vos cuticules, ce qui vous procurera une couleur plus brillante et surtout amoindrira le risque que votre coloration se détache de vos cheveux et tache vos oreillers, par exemple.

Ces quelques trucs s'appliquent autant aux colorations de pharmacies qu'aux colorations professionnelles.

RAPPEL DU PRINCIPE DE LA COLORATION : UNE COLORATION NE PEUT JAMAIS EN PÂLIR UNE AUTRE.

Il s'ensuit qu'une couleur foncée ne peut être pâlie par une autre coloration, même si cette dernière est plus pâle. Il faut obligatoirement décolorer au préalable au moyen d'un démaquillant capillaire, communément appelé « décapant ».

LE SYSTÈME DE NUMÉROTATION DES COULEURS

Souvent, on entend le coiffeur désigner la couleur des produits colorants par des numéros. Voici la signification des chiffres servant à cette codification.

TABLEAU A

DESCRIPTION DES NIVEAUX DE COULEURS NATURELLES	ÉCHANTILLON	NIVEAU NATUREL	PIGMENTATION DORMANTE
Blond le plus clair		10.0	Jaune le plus pâle
Blond très clair		9.0	Jaune pâle
Blond clair		8.0	Jaune orange
Blond moyen		7.0	Orange
Blond foncé		6.0	Orange rouge
Châtain clair		5.0	Rouge orange
Châtain moyen		4.0	Rouge
Châtain foncé		3.0	Rouge foncé
Châtain le plus foncé		2.0	Rouge violet
Noir		1.0	Violet

**La couleur de base de vos cheveux
(cheveux naturels ou colorés)**

Pour les blonds ou blancs au-delà de dix,
il n'existe aucune numérotation officielle,
car de tels cheveux n'ont presque plus
de pigments.

On insère toujours un point devant le chiffre
désignant le reflet naturel ou artificiel de
vos cheveux

LES REFLETS

TABLEAU B

LES COULEURS ET LEUR ÉQUIVALENT
EN COLORATION CAPILLAIRE

Le bleu	.1 le reflet cendré
Le violet	.2 le reflet irisé
Le jaune	.3 le reflet doré
L'orange	.4 le reflet cuivré
L'acajou	.5 le reflet acajou
Le rouge	.6 le reflet rouge

NOTE : LE REFLET VERT EXISTE AUSSI EN COLORATION
(.7) ET EST APPELÉ « ANTI-ROUX ».

Les reflets chauds (jaunes, orange, acajou, rouges) conviennent aux teints bronzés ou dont la carnation est plutôt jaune ou pêche, tandis que les reflets froids (bleus, violets) flattent les teints clairs ou rosés.

Maintenant que vous connaissez les deux systèmes, voyons ce que donne la combinaison d'une couleur de base et d'un reflet :

✄ Une coloration 6.3 donne un blond foncé avec un reflet doré.

✄ Une coloration 4.6 donne un brun moyen avec un reflet rouge.

✄ Une coloration 1.1 donne un noir avec un reflet cendré bleu.

✄ Et ainsi de suite.

Rappelons que plus votre premier chiffre est élevé, plus le second sera prédominant. Par exemple, 6.6 sera beaucoup plus rouge flamboyant que 4.6, qui sera plutôt brun que rouge.

Lorsque le premier chiffre dépasse 6, les reflets ont un effet prédominant tous les chiffres après le point (la couleur du reflet).

EN RÉSUMÉ :

✄ Le premier chiffre indique le niveau de ton. Exemple : 5 = brun clair.

✄ Le deuxième chiffre désigne le reflet principal. Exemple : 3 = doré.

✄ Un troisième chiffre peut s'ajouter si on désire un reflet secondaire. Exemple : 4 = cuivré.

Ce code donnera un brun clair, doré et légèrement cuivré (5.34).

Les chiffres peuvent légèrement varier selon les fabricants, d'où l'importance de s'en remettre avant tout à leur propre nuancier (ou mèchier). Dans de rares cas, certaines compagnies ajoutent un 0 pour alléger ou intensifier le reflet. Placé avant le chiffre du reflet, le 0 a pour effet de l'alléger. Par exemple, 5.04 donnera un brun clair légèrement cuivré. À l'inverse, placé après, le zéro l'intensifie. Ainsi, 5.40 donnera un brun clair intensément cuivré.

Pour désigner des reflets intenses, on recourt également au redoublement. Ainsi, .44

représente un reflet cuivré intense, et .66, un rouge intense.

Pour bien comprendre la coloration, il faut maîtriser la colorimétrie, ou science des couleurs et toujours garder en tête que les couleurs complémentaires du cercle chromatique s'annulent entre elles (voir tableau C, ci-contre).

Fort de ces connaissances, vous savez maintenant que si vous demandez des mèches dorées, il y aura automatiquement du jaune dans votre coloration.

LES COULEURS COMPLÉMENTAIRES DU CERCLE CHROMATIQUE TABLEAU C

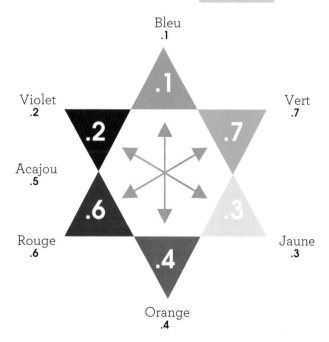

LES COULEURS DE REFLETS QUI SE NEUTRALISENT

Voici des petits trucs pour vous rappeler les couleurs complémentaires :

Le bleu (.1) a pour complémentaire l'orange (.4). Pensez à vos vacances ! La mer et le soleil... Le jaune (.3) a pour complémentaire le violet (.2). Pensez aux couleurs de la fête de Pâques. Le rouge (.5) ou (.6) a pour complémentaire le vert (.7). Pensez à la fête de Noël.

Comme vous le verrez, avec ces petits trucs, il vous sera plus facile de trouver la couleur qui annule un reflet indésirable. Par exemple, si vous trouvez que vous avez les cheveux trop jaunes, il suffira, lors de votre prochaine coloration, d'ajouter un reflet irisé à votre colorant pour atténuer ou éliminer le jaune. Ainsi, si votre colorant est un 8.3 et que vos cheveux vous semblent trop dorés, il suffit de lui ajouter un peu de 8.2 à votre prochaine coloration (environ une partie de 8.2 pour trois parties de 8.3). Le violet aura pour effet « d'éteindre » le jaune, puisque les couleurs qui s'opposent sur le cercle chromatique s'annulent. Voilà donc la raison pour laquelle, dans les cas de cheveux blonds, trop jaunes, ou même pour éviter que les cheveux jaunissent (ce qui est souvent causé par l'oxydation), on prescrit l'utilisation d'un shampoing mauve ou bleu. Les coloristes ajouteront des accents à la couleur pour se débarrasser d'un reflet indésirable ou trop intense.

LE VOLUME DE PEROXYDE

Le peroxyde capillaire est une eau oxygénée sous forme de crème activatrice pour le développement de la couleur.

Le peroxyde 10 volumes favorise l'adhésion des colorants semi-permanents aux cheveux pour l'obtention du reflet voulu. Il peut servir également avec un démaquillant capillaire.

Le 20 volumes, quant à lui, fait ouvrir les cuticules pour une bonne pénétration de la coloration jusqu'au cortex du cheveu, et pâlit d'environ deux tons votre couleur actuelle.

En ce qui a trait aux peroxydes **30 et 40 volumes,** ils peuvent atteindre de 3 à 4 degrés de pâlissement.

Ainsi, avec du peroxyde **30 volumes**, on peut atteindre plus ou moins 8 en partant de 5.

De même, si votre chevelure équivaut à 2 à l'état naturel et que vous visez le degré 6, vous choisirez une coloration 6 au reflet désiré. Vous la mélangerez ensuite à du peroxyde 40 volumes. Voilà une petite astuce qui vous évitera de recourir à un décolorant ! Cette façon de faire est monnaie courante chez les professionnels de la coloration.

LA DÉCOLORATION DE VOS CHEVEUX

Avant de songer à vous décolorer (*bleacher*) les cheveux, il importe de savoir que cette opération impose à vos cheveux un des plus grands stress qu'ils puissent endurer. Il faut donc être très attentif au temps de pose du décolorant. Avant de débuter, analysez la situation. Pour un simple changement de reflet ou pour pâlir votre couleur de un ou deux tons, allez plutôt vers un démaquillant capillaire (communément appelé un « décapant »). Ce produit fera simplement disparaître l'ancienne coloration de vos cheveux sans en changer la pigmentation. Ce traitement sera beaucoup moins agressant pour votre chevelure.

LA PIGMENTATION NATURELLE OU ARTIFICIELLE DE VOS CHEVEUX

Vous devez distinguer la pigmentation naturelle de vos cheveux de leur couleur actuelle. Tous les cheveux renferment un pigment de base, caché juste sous la couleur principale (voir tableau A, page 124).

Pourquoi devons-nous connaître le pigment naturel ou artificiel de nos cheveux ?

Je dis « pigment artificiel », car au moment où le cortex de nos cheveux est coloré ou décoloré, le pigment naturel change selon le degré de coloration appliqué. La connaissance des degrés de pigmentation vous aidera donc à éviter les pâlissements excessifs lorsque vous procéderez à une décoloration ou à un démaquillage capillaire.

Ainsi, il ne vous sera pas nécessaire de pâlir vos cheveux jusqu'au jaune pâle ou très pâle si vous désirez simplement une coloration de niveau 7. Rappelez-vous que la décoloration est le plus grand stress que vos cheveux puissent subir. Alors, évitez la surdécoloration.

LE MORDANÇAGE (POUR CHEVEUX VIERGES OU DIFFICILES À COLORER)

Vos cheveux grisonnent et vous avez de la difficulté à colorer vos tempes ?

Essayez d'abord une coloration possédant un temps de pose plus long. Évitez les colorations à effet rapide ; elles sont très efficaces, mais certains types de cheveux blancs sont particulièrement difficiles à couvrir, surtout au niveau des tempes. Si le problème persiste après le changement de coloration, une autre solution s'offre à vous : le mordançage.

On soumet au mordançage les cheveux vierges (qui n'ont jamais été colorés) ou blancs. Sur un cheveu vierge, les cuticules (écailles) sont moins flexibles et donc plus difficiles à ouvrir, tout comme sur certains cheveux blancs, d'ailleurs. Il en résulte que la pénétration de la couleur à l'intérieur du cortex des cheveux est plus difficile, d'où une coloration inégale ou fugace.

Comment effectuer un mordançage ? Appliquez sur vos cheveux secs, sur les sections difficiles à colorer, du peroxyde 20 volumes liquide (peroxyde professionnel ou ordi-naire de pharmacie). Évitez le cuir cheve-lu si vous avez la peau sensible. Appliquez à la racine sur les cheveux blancs et aux longueurs de pointes sur les cheveux vierges. Ensuite, à l'aide d'un séchoir à main, séchez vos cheveux sans utiliser de brosse ou de peigne. Servez-vous seulement de vos mains et séchez à chaleur maximale. À la moindre irritation, ARRÊTEZ le processus et rincez à l'eau froide, ce qui ouvrira les cuticules de vos cheveux et facilitera considérablement la pénétration de la couleur.

Une fois vos cheveux secs, appliquez votre coloration comme vous le faites normale-ment en suivant les directives du fabricant.

Autre petite astuce, commencez l'application de votre colorant par les sections les plus difficiles à colorer (les cheveux blancs en l'occurrence). Elles bénéficieront ainsi d'un temps de pose un peu plus long, d'où une meilleure pénétration.

Un autre truc pour bien couvrir le blanc consiste à ajouter 40 % de colorant naturel à votre colo-rant habituel. Ainsi, si votre colorant habituel est du 7,43, mélangez-le à 40 % de 7 naturel (7N).

LA PRÉCOLORATION (*FILLER*)

Vous pouvez procéder à une précoloration si vos cheveux ont tendance à se délaver (à perdre rapidement leur coloration après les premiers shampoings). Ce phénomène peut résulter du fait que vos cheveux étaient plus pâles auparavant. Le problème se réglera après une deuxième ou troisième coloration. La tendance à se délaver se manifeste également dans le cas des cheveux très endommagés, dont les écailles ne se referment plus pour emprisonner la couleur. Si tel est le cas pour votre chevelure, sachez que les traitements capillaires réguliers pourront y remédier, ou tout simplement une nouvelle pousse de vos cheveux.

COMMENT FABRIQUER SA PRÉCOLORATION :

- ✄ utiliser une quantité égale de coloration et d'eau ;

- ✄ s'assurer de pouvoir couvrir tous les cheveux ;

- ✄ appliquer sur les cheveux secs ;

- ✄ peigner les cheveux ;

- ✄ appliquer votre coloration aussitôt, sans laisser de temps de pose.

NOTE : UNE PRÉCOLORATION DEVRAIT TOUJOURS AVOIR UN REFLET CHAUD, PEU IMPORTE LA COULEUR APPLIQUÉE PAR LA SUITE.

LE DÉMAQUILLANT CAPILLAIRE (POUR CHANGER DE COULEUR)

Le démaquillant capillaire enlève la coloration en cours en vue d'un changement de couleur pouvant inclure un pâlissement de quelques degrés. Par exemple, pour passer du niveau 5 au niveau 6, un démaquillant capillaire suffit. (Rappelez-vous le principe premier de la coloration !) Le démaquillant enlève seulement la coloration existante ou élimine le reflet de vos cheveux, sans pour autant toucher à la pigmentation. Après l'application, suivez les directives du fabricant et attendez que l'action du démaquillant ramène vos cheveux à leur couleur pigmentaire.

Procédez ensuite au rinçage conformément aux instructions, et vous aurez l'assurance d'obtenir des cheveux libres de coloration et fin prêts à être pâlis si vous le désirez. N'oubliez pas de toujours sécher vos cheveux avant la coloration, c'est très important.

LA RECETTE POUR FABRIQUER VOTRE PROPRE DÉMAQUILLANT CAPILLAIRE À LA MAISON

Pour un léger changement de couleur, vous pouvez appliquer, sur vos cheveux mouillés, un mélange de poudre de décoloration professionnelle (*bleach*) et de peroxyde 10 volumes.

Pour un simple changement de reflet, il suffira d'un mélange de poudre de décolorant et d'eau appliqué sur les cheveux mouillés.

Recette :
Dans les deux cas, préparez un mélange non consistant, et même plutôt légèrement liquide. Ayez toujours l'œil sur le changement de couleur afin d'atteindre le pigment caché sous celle-ci.

Dans le cas d'un reflet indésirable, surveillez attentivement jusqu'à sa disparition. Durant l'application, vous pouvez malaxer avec vos doigts les sections qui ne réagissent pas aussi vite que les autres. Il se produira alors un effet de chaleur qui activera le processus. Portez toujours des gants de caoutchouc et ne massez jamais le cuir chevelu.

LE DÉCOLORANT (*BLEACH*)

Encore une fois, je réitère l'importance de faire une analyse honnête de vos cheveux. Vous devez prendre en considération leur porosité et les traitements auxquels ils ont déjà été soumis, autrement dit vos antécédents capillaires (voir Quelques conseils de prévention, page 134).

Avec un décolorant, vous pouvez dépasser le premier niveau de pigmentation de vos cheveux et atteindre les autres afin d'obtenir une couleur plus pâle (voir tableau A, page 124).

Que vous ayez les cheveux colorés ou de couleur naturelle, le décolorant atteindra la couleur pigmentaire voulue. Il vous suffira de vous référer au tableau A pour déterminer le degré qui permettra à votre nouvelle couleur de bien adhérer à vos cheveux.

Ainsi, si vous voulez un niveau 8, blond clair, vous devrez attendre que votre décolorant rende vos cheveux jaunes.

Pour passer à plus de six degrés de différence d'avec votre couleur actuelle, il se peut que vous ayez besoin d'une autre séance de décoloration. En effet, lorsque le temps de pose du décolorant est écoulé, ce denier ne fait plus effet. Surtout s'il a séché sur votre tête. Dès lors, si vous n'avez pas atteint le niveau désiré, un autre décolorant pourra être nécessaire. À vous de décider si vous voulez continuer.

Souvenez-vous que plus on soumet les cheveux à des traitements chimiques, plus ils deviennent desséchés, cassants et ternes. Si vous désirez poursuivre avec un autre décolorant, comparez-le avec le premier en effectuant un test de porosité (voir Le test de porosité faisant suite à la première décoloration, page 134). S'il s'avère impossible d'appliquer un autre décolorant, choisissez une autre couleur, un peu moins pâle. Il est beaucoup plus important d'avoir des cheveux

en bonne santé ! De plus, il vous sera possible de procéder à un pâlissement graduel dans les mois suivants, en laissant reposer vos cheveux après chaque traitement.

LE DÉCOLORANT CAPILLAIRE MAISON

Pour obtenir un décolorant à partir d'un produit professionnel, demandez au détaillant si sa réaction chimique se fait à l'aide d'un peroxyde capillaire ordinaire ou d'un produit différent suggéré par le fabricant.

Si sa réaction chimique s'opère au moyen de peroxyde capillaire régulier, voici le type de mélange que vous pouvez préparer :

✄ un mélange avec un peroxyde 20 volumes pâlira votre chevelure d'environ 4 degrés ;

✄ un mélange avec un peroxyde 30 volumes la pâlira de 6 degrés.

ATTENTION : Mélanger le peroxyde 30 volumes à un décolorant professionnel est très risqué. Cette combinaison entraîne une réaction rapide et très puissante. Si vous voulez courir ce risque, vous devrez avoir à l'œil le changement de couleur durant le procédé. En outre, il vous faudra rincer **immédiatement** lorsque la couleur désirée sera atteinte. Si la réaction vous paraît anormale, vous devrez rincer immédiatement.

Il est fortement déconseillé d'utiliser du 40 volumes pour décolorer. Il est plus sage de tenter une première décoloration avec du 20 volumes, quitte à répéter s'il y a lieu.

Quelques conseils de prévention

Avant de vous lancer dans la grande aventure de la décoloration, il est bon de savoir qu'au moindre doute quant à la qualité de vos cheveux, vous devriez consulter un professionnel de la coiffure. Il est prudent de passer un test de sensibilité avant de procéder, car plusieurs aspects peuvent entrer en ligne de compte, notamment :

✄ l'effet de certains médicaments ;

✄ l'effet de certains antibiotiques ;

✄ la grossesse.

Ces facteurs peuvent rendre le cuir chevelu très sensible, d'où l'importance de proscrire les traitements durant ces périodes.

Si vous avez reçu des traitements chimiques tels qu'une permanente, une coloration au henné ou des sels métalliques, les résultats peuvent être aléatoires et même catastrophiques dans certains cas. Abstenez-vous de décolorer ou de démaquiller vos cheveux dans les cas précités.

Évitez de vous brosser les cheveux le jour même de la décoloration. S'il est nécessaire de brosser, évitez de toucher le cuir chevelu pour ne pas accroître sa possible irritation consécutive à l'application du décolorant.

Travaillez toujours sur des cheveux non lavés depuis plus de 48 heures, afin que les huiles naturelles de votre cuir chevelu le protègent contre les traitements chimiques. Ne lavez jamais vos cheveux le jour même de la décoloration.

LE TEST DE POROSITÉ FAISANT SUITE À LA PREMIÈRE DÉCOLORATION

Après votre première décoloration ou autre traitement chimique, rincez à fond, puis prenez quelques cheveux mouillés et étirezles. Observez leur élasticité. S'ils se brisent facilement et prennent l'aspect de spaghettis, vous devez cesser les traitements. S'ils résistent à la tension et reprennent leur état normal, vous pouvez poursuivre. N'oubliez pas de sécher vos cheveux sans les brosser avant de poursuivre.

Il se peut que vos cheveux ne se décolorent pas de façon uniforme, ce qui peut se produire quand la racine pâlit plus rapidement que le reste de votre cheveu. En pareil cas, voici les deux facteurs qui en sont la cause :

✄ le niveau élevé de saturation (couches) de coloration auquel les longueurs ont été exposées, ainsi que la durée de cette exposition ;

✄ la chaleur qu'émet votre cuir chevelu.

Ne vous alarmez pas si votre racine est un à deux tons plus pâle que vos longueurs. Après l'application, la couleur s'uniformisera.

Si vous constatez un plateau de couleur (présence de sections plus foncées aux longueurs après le temps de pose maximal de votre décolorant), rincez les cheveux, séchez

les à fond sans brossage et retouchez simplement ces sections.

Si, au contraire, les longueurs et pointes de vos cheveux se sont décolorées plus vite que la racine, faites preuve de vigilance, car alors vos cheveux sont très fragiles. Aussitôt les longueurs arrivées à la couleur voulue, rincez, séchez puis répétez le traitement pour vos racines seulement, en évitant d'empiéter sur la ou les sections qui sont déjà de la couleur voulue. Décolorer ces sections à nouveau pourrait les briser, ce qui serait évidemment très malencontreux.

LE TEST DE SENSIBILITÉ DE LA PEAU

Nettoyez une surface de peau derrière l'oreille, au bas de la nuque ou sous l'aisselle. Utilisez à cette fin votre savon de tous les jours. Préparez un petit mélange du produit à l'aide d'une cuillère à thé non métallique dans les proportions indiquées par le fabricant. Mélangez bien et appliquez sur la surface choisie. Laissez sécher et attendez 24 heures sans laver. Si vous n'éprouvez aucun picotement intense ni sensation de brûlure, vous pourrez procéder.

LE TEST DE SENSIBILITÉ DES CHEVEUX

Préparez un mélange à l'aide d'une cuillère à soupe non métallique en suivant les proportions indiquées par le fabricant.

Coupez une petite mèche de vos cheveux provenant du milieu de votre nuque, là où les cheveux sont le plus foncés. Plus votre mèche sera longue, plus vous aurez l'heure juste sur la porosité de vos cheveux.

Déposez la mèche sur une feuille de pellicule transparente.

Appliquez le mélange et chronométrez dès que vous avez terminé. Vous aurez ainsi un aperçu du temps de pose requis pour atteindre le niveau désiré.

Examinez la qualité de vos cheveux après le rinçage. Si elle vous satisfait, procédez.

Maintenant que vous maîtrisez la couleur et les techniques de décoloration, les pages suivantes vous indiqueront, à l'aide de photos, étape par étape, comment obtenir des effets de couleurs. Vous y découvrirez également des techniques pour faire vous-même vos mèches à la maison. N'hésitez jamais à revenir aux pages qui précèdent avant d'entreprendre un traitement et amusez-vous bien !

LES TECHNIQUES DE COLORATION ET LES EFFETS DE COULEUR

Dans la section suivante, vous apprendrez comment disposer la couleur dans vos cheveux pour produire divers effets. Du même coup, vous vous familiariserez avec le jeu de la coloration. Toutes les astuces proposées ici reposent sur des procédés de base qui vous serviront à créer une multitude d'effets au gré de votre imagination.

Lisez bien les pages qui précèdent avant d'entreprendre l'opération. Vous pourrez y choisir les techniques qui vous conviendront. Selon vos préférences, appliquez le colorant à la bouteille ou au pinceau.

Avant de débuter, assurez-vous d'avoir tout le nécessaire pour effectuer le travail. Le résultat pourra varier selon la longueur des cheveux, la coupe et la couleur choisies. Par exemple, sur des cheveux dégradés, les effets de coloration seront beaucoup plus marqués que sur des cheveux non dégradés.

TECHNIQUE 1

Le zigzag

1] Face à un miroir et munie d'un peigne à queue, tracez un zigzag imparfait autour de la tête à la hauteur des sourcils en allant d'un sourcil à l'autre. Pour un effet de coloration plus prononcé, tracez le zigzag plus haut que les sourcils.

2] Attachez la section supérieure à l'aide d'un élastique.

3] Choisissez deux couleurs, une couleur foncée à appliquer sur la section du dessous, et une plus pâle pour la section du dessus. Il est normal que lors de l'application, les deux couleurs se chevauchent à la séparation du zigzag. Ne vous en faites pas, le résultat n'en sera pas compromis ; évitez seulement de trop dépasser. Lors du rinçage, rincez d'abord la couleur foncée, puis la plus pâle. Le rinçage sera plus délicat à effectuer si vous avez utilisé des couleurs très contrastées. Il faudra alors éviter que le foncé touche au pâle lors du

Étape 1

Étape 2

Étape 3

Étape 3

rinçage. Le cas échéant, rincez rapidement l'ensemble des cheveux.

Cette méthode de coloration donne
un effet naturel à la chevelure, puisque nos cheveux sont naturellement
toujours plus pâles sur le dessus. Si
vous choisissez deux couleurs très
contrastantes, vous obtiendrez un
effet tout aussi intéressant. Pour des
cheveux clairsemés sur le dessus de la
tête, ce procédé peut fournir un excellent trompe-l'œil.

Avec les cheveux longs, on peut
accentuer l'effet. On peut également
faire l'inverse en mettant la couleur
foncée au-dessus. Laissez libre cours
à votre imagination.

Résultat

Résultat

TECHNIQUE 2

Les mèches voiles

Les mèches voiles peuvent être effectuées à n'importe quel endroit sur la tête à l'exception du dessus, où il faut garder la couleur de base pour créer l'effet de voile.

1] Faites des séparations en diagonale aux endroits désirés (la séparation en diagonale donnera un effet de voile qui s'intégrera mieux au dégradé). Les séparations peuvent aussi être droites.

2] Attachez la section supérieure.

3] Prenez une section mince (voile) en suivant la même séparation.

4] Pour obtenir un effet de voile aux endroits choisis, prenez un morceau de papier d'aluminium de la largeur et de la longueur de la mèche (ou un peu plus) et appliquez-y la coloration afin d'y faire adhérer les cheveux.

Étape 1

Étape 2

Étape 3

Étape 4

Étape 5

Étape 6

Pas de quoi s'arracher les cheveux !

Étape 6

Étape 6

5] Placez le papier sous la mèche et appliquez la même coloration sur toute la mèche.

6] Rabattre légèrement le papier d'aluminium sur lui-même dans le sens de la longueur en prenant garde de ne pas exercer de pression sur la mèche et le produit. Pour finir, rabattre les côtés.

Si vous désirez des voiles de couleur plus foncée que votre couleur de base, vous devrez rincer rapidement les papillotes afin d'éviter de faire glisser le foncé sur le pâle. Le cas échéant, rincer rapidement et passer immédiatement au shampoing.

Ce mode de coloration fera ressortir la texture de la coupe et pourra attirer l'attention sur votre frange. C'est un excellent trompe-l'œil pour les cheveux clairsemés sur le devant, grâce aux mèches pâles qui détourneront l'attention du cuir chevelu.

Résultat

TECHNIQUE 3

La griffe

Cette technique de coloration a pour objet de créer une asymétrie de couleur dans vos cheveux.

1] À l'aide d'un peigne à queue, tracez une séparation allant d'une tempe à l'autre et attachez la section avec un élastique. Si des mèches sont trop courtes pour être retenues par l'élastique, suppléez avec des pinces à cheveux.

2] Faites une deuxième séparation en diagonale à partir du même point sur la tempe jusque sous l'oreille opposée et attachez-la à l'aide d'un élastique, puis attachez la dernière section au-dessous à l'opposé.

3] Choisir la même couleur de base pour la section du dessus et pour celle du dessous. Appliquer en premier sur la section du dessous et continuer avec celle du dessus. Pour éviter de toucher

Étape 1

Étape 2

Étape 3

Étape 4

Étape 4

à la section du centre, retenez avec des pinces à cheveux les sections déjà traitées.

4] Appliquez la couleur reflet (celle qui donnera l'effet coloré) sur la section du centre (la griffe). Ne vous inquiétez pas si les cheveux de la couleur reflet touchent aux autres sections, car une coloration ne pâlit pas une autre coloration. En portant des gants, malaxez bien après l'application pour vous assurer que les cheveux sont bien saturés de coloration. Il ne faut pas oublier de bien rincer les gants avant de procéder à l'application de la couleur reflet.

5] Pour le rinçage de la couleur, débutez par la nuque, donc la section du bas. Rincez celle-ci à fond, puis rincez la couleur reflet (celle du centre). Cela fait, appliquez une bonne quantité de shampoing sur ces deux sections, plus précisément sur la couleur reflet, mais sans rincer. Cette opération aura pour effet d'empêcher la couleur reflet d'adhérer à la couleur de base. Enfin, rincez la couleur du dessus, de préférence la tête

vers l'avant, afin d'éviter tout glissement sur la couleur reflet.

Résultat

CHAPITRE 7

» **Avoir les bons outils**

MINIQUIZZ

Le laurethsulfate de sodium contenu dans les shampoings est dangereux pour la santé humaine.

vrai ○   faux ○

FAUX. Rassurez-vous, selon l'avis de deux chimistes spécialisés dans la fabrication de produits de beauté, la quantité d'impuretés de dioxane (nocif pour la santé) produites par le laurethsulfate de sodium contenu dans nos produits capillaires est si minime (en plus d'être diluée avec l'eau du robinet) et est présente en quantité insuffisante pour être toxique. De nos jours, on fabrique certains laurethsulfate de sodium qui ne contiennent pas de dioxane.

LES PRODUITS COIFFANTS PEUVENT AIDER À FAIRE DE BELLES MISES EN PLIS, MAIS ILS PEUVENT ÉGALEMENT Y NUIRE. C'EST POURQUOI IL EST ESSENTIEL DE CHOISIR UN PRODUIT ADAPTÉ À NOTRE TYPE DE CHEVEUX.

» **Avoir les bons outils**

Enfant, nous avons tous vu notre mère, notre tante ou notre voisine, se friser avec un fer. De fait, il y a quelques décennies, le fer et les rouleaux étaient les deux principaux outils à la disposition des femmes qui se coiffaient à la maison. Depuis, de nouveaux gadgets sont apparus sur le marché : certains se sont révélés très utiles, mais d'autres n'ont connu qu'un engouement passager. Dans ce chapitre, je vous présenterai mes outils coiffants préférés, soit les outils indispensables pour se coiffer à la maison.

COMMENT CHOISIR UN SÉCHOIR

Il faut d'abord évaluer le poids du séchoir pour savoir s'il vous est possible de le tenir à bout de bras pendant de nombreuses minutes. Un porte-vent court vous permettra de le tenir près de vos cheveux, ce qui facilitera les manœuvres qui exigent de la précision. Vérifiez ensuite le nombre de watts du moteur. Évitez les séchoirs chauds pourvus d'une soufflerie faible, car ils risquent d'endommager vos cheveux. Choisissez plutôt un appareil dont le nombre de watts varie entre 1 600 et 1 800. Il existe maintenant de nombreux choix de matériaux pour les séchoirs, comme la tourmaline et la céramique, qui augmentent le nombre d'ions négatifs lorsqu'ils sont chauffés, ce qui facilite le polissage des cheveux.

Le plus important, lorsqu'on recourt au séchoir pour une mise en plis, c'est d'utiliser son embout, ce qui permettra de diffuser l'air à plat sur les cheveux et aidera ainsi à fermer les cuticules, procurant de cette façon plus de brillance aux cheveux. Lorsqu'on se dispense de l'embout, la diffusion de l'air est si large que d'autres sections de la chevelure sont séchées en même temps, ce qui leur donnera un mauvais pli qu'il sera ensuite difficile de corriger. Toutefois, évitez de coller l'embout directement sur la brosse et gardez quelques millimètres de distance ainsi qu'un petit angle, si possible.

Pour l'entretien de votre séchoir, il importe de nettoyer la prise d'air en enlevant les cheveux et la poussière qui y sont coincés. Vous conserverez ainsi une puissance maximale et prolongerez la durée de votre appareil. Lors de l'achat de votre séchoir, assurez-vous que le diffuseur est inclus ; sinon, il existe des diffuseurs à embouts universels.

TOUS LES APPAREILS CHAUFFANTS DOIVENT ÊTRE CONTINUELLEMENT MAINTENUS EN MOUVEMENT POUR NE PAS ENDOMMAGER VOS CHEVEUX.

LE FER PLAT

Il s'agit d'un outil devenu indispensable, car il permet de réaliser de multiples coiffures. Il est préférable de choisir un fer

plutôt étroit, qui permettra d'atteindre plus facilement la racine et d'effectuer des variations sur vos cheveux. Une largeur d'environ 4 cm est suffisante. L'appareil doit offrir un réglage de la chaleur adaptable à différents types de cheveux et différentes textures, par exemple les cheveux fragilisés. Les degrés du thermostat devraient

varier de 130° à 450° degrés environ. Un fer en céramique, en tourmaline ou en un amalgame des deux procure un effet plus lissant. On dit de la tourmaline qu'elle a un effet scellant sur les cheveux et qu'elle les approvisionne en ions négatifs, lesquels se disperseront tout au long de la journée. De plus, les fers en nanocéramique contribuent à accroître la brillance des cheveux et ont un effet scellant. Nettoyez votre fer plat refroidi avec de l'alcool à friction et un linge humide pour enlever les taches tenaces.

Évitez les produits à base d'huile dans vos cheveux si vous avez l'habitude de faire usage du fer plat, car l'huile chauffée à haute température garde la chaleur sur les cheveux et peut créer, à long terme, un effet de friture qui les endommagera gravement. Utilisez plutôt des produits thermiques qui protègent les cheveux et accentuent leur brillance.

TOUS LES APPAREILS CHAUFFANTS DOIVENT ÊTRE CONTINUELLEMENT MAINTENUS EN MOUVEMENT POUR NE PAS ENDOMMAGER VOS CHEVEUX.

LES ROULEAUX CHAUFFANTS

Parmi les divers types de rouleaux, les rouleaux chauffants ont la cote. Ils sont faciles et rapides à utiliser et offrent d'excellents résultats. Ce sont les rouleaux chauffants en céramique qui procurent le maximum d'efficacité. Il est plus facile de travailler avec des rouleaux recouverts de velours, car ils sont antidérapants et donc plus faciles à installer, en plus de rester stables dans les cheveux. Ceux qui sont munis de petites barrures de métal ou de pinces à dents sont encore plus faciles à utiliser. Avant d'en faire usage, il faut les laisser suffisamment chauffer dans leur boîte. À cette fin, veuillez lire les recommandations du fabricant. Ensuite, choisissez un montage (voir Montages des rouleaux, page suivante). Les rouleaux chauffants s'emploient sur les cheveux secs. Laissez les rouleaux le plus possible jusqu'à ce que les cheveux et les rouleaux soient refroidis. Ensuite, enlevez les rouleaux et peignez les cheveux avec les doigts ; vous obtiendrez du mouvement et du volume dans vos cheveux. Cette opération peut être répétée plusieurs fois par semaine, car elle n'est pas dommageable pour les cheveux.

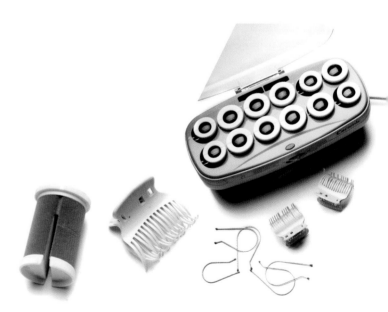

Montages des rouleaux

LE FER À FRISER

Même s'il est maintenant possible de friser avec un fer plat, le fer à friser est toujours utile dans notre quotidien. Ce dernier s'est modernisé grâce à de nouveaux matériaux comme la céramique et la tourmaline, qui

ont un pouvoir scellant et qui intensifient la brillance des cheveux. Cherchez un fer en céramique ou en tourmaline pourvu d'un thermostat pour varier la chaleur selon vos besoins. Les fers à poignée pivotante sont plus faciles à utiliser.

LES BROSSES

Il existe de nombreux types de brosses. Les brosses en bois, avec poils synthétiques, naturels ou de plastique sont idéales pour raidir les cheveux revêches. Ils offrent une prise puissante sur les cheveux et permettent donc de maintenir la tension sur les cheveux pendant le séchage. Les brosses en métal, en

tourmaline ou en céramique sont idéales, de leur côté, pour faire briller les cheveux rapidement, puisqu'elles agissent comme un fer à friser. Parfaites pour tourner les pointes des cheveux, elles possèdent des propriétés ioniques comme les outils faits de céramique ou de tourmaline. Pour trouver le type de brosse convenant à vos cheveux, il est nécessaire d'en faire l'essai, car la technique et le type de cheveux sont à considérer. Si vous avez de la difficulté à créer du volume, il est possible que votre brosse soit trop petite,

mais aussi qu'elle soit trop grosse. Une brosse trop grosse vous empêchera d'atteindre la racine convenablement.

LES ACCESSOIRES SUGGÉRÉS CI-DESSOUS FACILITERONT LA RÉUSSITE DES TRUCS COIFFURE FIGURANT DANS CE LIVRE.

- ✂ Des pinces à cheveux en métal que vous trouverez dans les pharmacies, ou en plastique que vous trouverez dans des boutiques spécialisées pour les cheveux.

- ✂ Des élastiques en tissu sans joints de métal, beaucoup moins dommageables que les élastiques traditionnels faits de caoutchouc.

✂ Des pinces à cheveux (*bobby pins*) de bonne qualité, qui reprendront leur forme une fois que votre doigt sera retiré d'entre les tiges (faites le test). Choisir le format qui vous convient et la couleur qui se rapproche le plus de celle de vos cheveux si vous ne voulez pas qu'elles soient apparentes, ou une couleur vive si vous souhaitez en faire des accessoires décoratifs.

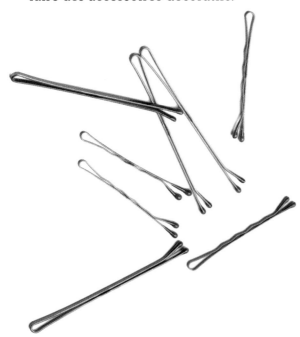

✂ Un peigne à tige ou à queue

✂ Une brosse coquette ou à crêpage

✂ Une brosse plate

✂ Un peigne démêloir

✂ Des ciseaux longs, pour plus de facilité et une sécurité accrue

✂ Un peigne droit

✂ Une brosse Jean-Pierre (brosse de finition)

LES PRODUITS COIFFANTS

Les produits coiffants peuvent aider à faire de belles mises en plis, mais ils peuvent également y nuire. Le mauvais usage d'un gel, d'une pâte coiffante ou d'une mousse peut vous décourager des produits coiffants. C'est pourquoi vous devez prendre soin de choisir un produit adapté à votre type de cheveux. Il existe déjà de nombreux produits coiffants et, chaque semaine, de nouveaux arrivent sur le marché à la faveur des innovations technologiques. Il serait donc impossible de les énumérer tous. Je ferai plutôt un survol des produits classiques les plus importants.

LES MOUSSES ET LES GELS

Les mousses et les gels sont faits, pour la plupart, de polymères (polyquaternium). Les polymères sont des substances synthétiques formées d'un assemblage de petites molécules (monomères). Les polymères capillaires sont cationiques, ce qui veut dire qu'ils collent et recouvrent chaque cheveu de manière à en maintenir la mise en plis. Leur fonctionnement est comparable à celui d'un plastique liquide répandu sur les cheveux avant le séchage. Une fois le produit séché, il a pour effet de gainer les cheveux en leur donnant la forme et le volume voulus.

Y a-t-il une différence entre la mousse et le gel?

La mousse est plus malléable, plus facile à appliquer et ne coule pas, sans compter qu'elle sature les cheveux en surface. La mousse est idéale pour effectuer une mise en plis à la brosse ou au diffuseur, quel que soit le type de cheveux. Il existe de nombreuses formules de mousses coiffantes et certaines sont plus hydratantes que d'autres.

Les gels peuvent être liquides ou fermes. Ils sont utilisés le plus souvent pour les cheveux courts. Il est possible d'appliquer les gels sur des cheveux secs ou humides. Laisser sécher le gel sans séchoir pour donner un effet mouillé (*wet look*) est idéal pour les gros cheveux. Les gels liquides peuvent servir de la même manière que les gels fermes, mais ils sont moins résistants, puisque leur fluidité défavorise le gainage des cheveux. Les gels liquides peuvent être appliqués partout sur les cheveux humides, de la même manière que la mousse. Il suffit ensuite de peigner et de sécher au séchoir.

LES PROBLÈMES RELATIFS À LA MOUSSE ET AUX GELS

Pour un résultat optimal avec la mousse, il est nécessaire de bien agiter le contenant au préalable pour bien mélanger les ingrédients. On peut remédier aux problèmes de statique en changeant de produit, car il est possible que celui que vous utilisez ne soit pas adapté à votre type de cheveux. Si le problème de statique persiste, appliquez un pois de pâte ou de cire coiffante sur vos cheveux mouillés, peignez-les, puis appliquez la mousse ou le gel. L'effet hydratant de la pâte ou de la cire préviendra la statique. Il faut aussi s'assurer que les cheveux sont bien essorés avant l'application, sinon les produits risqueraient de se diluer. À l'inverse, si les cheveux sont trop secs lors de l'application, il sera impossible de terminer la mise en plis, car le produit aura déjà figé dans les cheveux. Aussi, modérez la quantité, car les résultats n'en seront pas meilleurs. N'oubliez pas que les cheveux du dessous sont le support des cheveux qui se trouvent sur le dessus.

Il existe des vaporisateurs conçus pour donner plus de volume à la racine. Ils doivent être appliqués avant les autres produits pour un effet optimal.

LES PRODUITS DE FINITION : PÂTES ET CIRES

En général, les pâtes et les cires sont des produits hydratants à appliquer sur cheveux secs. Ils procurent une tenue particulière : fini mat, brillance, effet sec ou plus gras. Il faut généralement essayer les produits de ce type pour savoir s'ils vous conviennent, puisqu'il n'y a pas de règle établie pour guider votre choix. Toutefois, pour les cheveux fins, il faut éviter les produits trop gras qui accentuent la brillance, telles les cires ou les crèmes. Leur tenue va de faible à moyenne et ils peuvent donner un effet de cheveux gras. Choisissez plutôt une pâte mate ou même un produit argileux, ce qui donnera un effet « coiffé décoiffé » sans perte de volume. Si vos cheveux sont gros et ternes, optez pour les cires ou les crèmes, qui produiront un effet de brillance et contribueront à maîtriser les mèches rebelles. Pour un effet optimal, bien enduire les doigts du produit et enduire les cheveux de la racine à la pointe en les irisant. Vous pourrez ensuite leur donner la forme voulue.

LES FIXATIFS

Il peut être difficile de choisir le bon fixatif.
Généralement, le premier réflexe est de le
sentir. Un fixatif de qualité devrait répandre
une odeur discrète qui ne persiste pas dans
l'air ambiant. Vaporisez le fixatif devant une
source de lumière afin de voir la diffusion
du jet. La forme de la buse a un effet déterminant sur le résultat obtenu. En effet, sitôt
vaporisé, le produit commence à sécher sous
l'action de l'alcool qu'il contient. Si le jet
vaporisé est large, le produit sera presque
sec au moment du contact avec les cheveux.
Il sera alors léger et couvrira une grande
superficie. Il sera donc possible de pouvoir
repeigner les cheveux. Si le jet est très droit,
il couvrira une plus petite superficie et le
produit sera plus ferme, ce qui empêchera de
pouvoir repeigner les cheveux. En plus de la
buse, le taux d'alcool et le choix du polymère
sont importants. Malheureusement, les
étiquettes n'en font pas mention. Il faut donc
faire des essais.

LEXIQUE DES PRINCIPAUX INGRÉDIENTS DES PRODUITS DE COIFFURE

Acrylates copolymer : il entre dans la composition des produits coiffants comme agent texturant. Il donne de la tenue aux cheveux et les protège de l'humidité.

Acétate de tocophérol : l'ester de tocophérol est formé de vitamine E. Cette version stabilisée de la vitamine E aide à protéger la peau (antioxydant) et à augmenter l'humidité (l'émollient).

Acide citrique : provient du citron, il est utilisé pour équilibrer le pH des produits coiffants.

Alcool cétylique (Alcool gras) : émulsifiant, stabilisant et épaississant.

Alcool dénaturé : alcool obtenu par la distillation du maïs. Il s'agit d'un solvant qui s'évapore rapidement. La dénaturation est un procédé qui rend l'alcool impropre à la consommation.

Amodiméthicone : procure une apparence souple, soyeuse et brillante aux cheveux, ce qui en fait un revitalisant longue durée.

Aminométhyl Propanol (AMP) : substance utilisée pour neutraliser le pH et optimiser les effets des produits coiffants.

Benzoate de sodium : dérivé de l'acide benzoïque. Il est utilisé comme conservateur.

Benzophénone-4 : protection solaire utilisée dans les produits coiffants. Il protège les cheveux naturels ou colorés des rayons UVB.

Butyl méthoxydibenzoylméthane : protection solaire qui prévient les effets néfastes de l'exposition aux rayons UVA. Écran solaire qui protège la couleur des cheveux.

C12-15 alkyl benzoate : émollient revitalisant et hydratant possédant une texture légère.

Cocamidopropyl bétaïde : dérivé de la noix de coco. Produit nettoyant et moussant sans danger pour la peau et les cheveux.

Diméthicone : huile dérivée de la silicone utilisée en cosmétique comme protecteur de la peau. Utilisé dans les après-shampoings pour faire briller les cheveux sans les rendre gras

DMDM hydantoïne : conservateur, antimicrobien et antibactérien.

Ethylhexyl Méthoxycinnamate : substance dérivée de la noix de coco. Revitalisant, adoucissant qui permet de dompter les cheveux rebelles. approuvé par la FDA comme protection contre les UVB.

Fragrance : toutes substances naturelles ou synthétiques, ou substances utilisées seulement pour parfumer un produit cosmétique.

Guar de chlorure de trimonium hydroxypropylé : protège les cheveux tout en prévenant la statique. Confère un effet mouillé tout en facilitant le peignage.

Huile de tournesol : utilisée dans les produits de coiffure comme agent regraissant et pour contrecarrer les effets des agents tensioactifs.

Hydroxyethylcellulose : substance fibreuse tirée de la partie principale des parois cellulaires des plantes. Utilisée comme épaississant et liant, elle stabilise les émulsions.

Isododécane/ Isohexadécane : hydrocarbure utilisé pour lisser les cheveux et pour ses propriétés démêlantes.

Laureth-4 : l'alcool principal de l'huile de noix de coco. Il est modifié pour donner un caractère hydrophile (qui aime l'eau). Utilisé comme émollient et émulsifiant.

Laurethsulfate de sodium : nettoyant et agent moussant que l'on retrouve dans beaucoup de savons, démaquillants et shampoings.

lauroyl sarcosinate : tiré de l'huile de noix de coco. Nettoie la graisse, la saleté et les bactéries, sans décaper ou assécher les peaux sensibles.

Lauryl Glucoside : agent tensioactif naturel qui provient du sucre de maïs et de l'huile de noix de coco. Il a des propriétés nettoyantes et moussantes, il est très doux et se rince facilement. Il est biodégradable et remplace efficacement le laurylsulfate de sodium.

Lauryl sulfate d'ammonium ou ammonium lauryl sulfate : tensioactif utilisé en comme base lavante des shampoings, il provient de la noix de coco et est très moussant.

Methylchloroisothiazolinone/Methylisothiazolinone : conservateur utilisé dans les produits de soins capillaires ou de rinçage.

N-cocoyldiéthanolamide : produit dérivé de la noix de coco. Il est utilisé pour affiner les bulles du savon, ce qui leur confère une apparence plus épaisse et plus riche.

Panthénol (pro-vitamine B5) : Il répare les cheveux en augmentant leur élasticité. C'est une excellente substance nutritive et hydratante du cuir chevelu qui leur confère plus de souplesse, de brillance et de douceur tout en limitant la formation d'électricité statique et en les rendant doux au toucher.

Parabène (methyl-propyl-bytyl-isobutyl) : un des conservateurs les plus fréquemment utilisés dans les cosmétiques.

Passifloria incarnata : calme et apaise.

PEG - 150 Distearate : épaississant non irritant, émulsifiant et agent de contrôle de la viscosité.

Polyquaternium - 4 : facilite le peignage tout en traitant et en donnant de l'éclat aux cheveux. C'est aussi un agent antistatique.

Polyquaternium - 7 : résine soluble dans l'eau, tirée de la cellulose du bois. Il donne du corps aux cheveux bouclés, et prévient la statique. Il est utilisé pour ses propriétés traitantes et démêlantes en procurant aux cheveux un aspect soyeux.

Polyquaternium – 11 : Polymère cationique qui apporte une flexibilité exceptionnelle aux cheveux, leur donne de la tenue et prévient la statique. Il améliore le peignage humide ou sec, tout en donnant du volume et un aspect soyeux aux cheveux.

Propylène Glycol : l'agent hydratant le plus commun, après la glycérine. Absorbe l'humidité et agit comme hydratant. Aide à maintenir l'humidité dans les cheveux.

Protéine de blé : la protéine tirée du blé procure des avantages hydratants tant pour les cheveux que le cuir chevelu. Il nourrit les follicules pileux.

PVP : donne de la force et de la tenue aux cheveux.

PVP/VA Copolymer : fixateur capillaire, il forme des films durs et brillants facilement éliminés par l'eau.

Sodium C12-14 oléfine : tensioactif permettant un nettoyage doux et efficace. Il est utilisé pour ses qualités nettoyantes et moussantes.

VP/VA copolymer : composant qui donne de la texture aux produits de coiffure.

Catalogage avant publication de Bibliothèque et Archives
nationales du Québec et Bibliothèque et Archives Canada

Vincent, Luc
Pas de quoi s'arracher les cheveux! : se coiffer à la maison

Collection C'vie

Comprend un index.
ISBN 978-2-923681-45-0

1. Coiffure.   I. Titre.

TT957.V56 2010   646.7'24   C2010-941903-0

L'éditeur bénéficie du soutien de la Société de développement des
entreprises culturelles du Québec (SODEC) pour son programme
d'édition et pour ses activités de promotion.

L'éditeur remercie le gouvernement du Québec de l'aide financière
accordée à l'édition de cet ouvrage par l'entremise du Programme de
crédit d'impôt pour l'édition de livres, administré par la SODEC.

L'éditeur reconnaît l'aide financière du gouvernement Canada par
l'entremise du programme d'aide au développement de l'industrie de
l'édition (PADIÉ) pour ses activités d'éditions.

Directrice de l'édition : Martine Pelletier

Éditrice déléguée : Nathalie Guillet

Design et Infographie : Cyclone Design Communications

Crédits Photos : Jean-Jacques Boileau, 84-85, 86-87, 88-89, 92-93, 94-95,
96-97, 100-101,102-103, 104-105, 106-107, 108-109, 110-111, 138-139,
140-141, 142-143, 148-153 iStockphoto, 6-39-40-62-80-112 photo.com,
20-44-57-58-79-116-137-144-157

Illustrations : Marie Blanchard

Révision : François Morin

Correction d'épreuves : Natacha Auclair

LES ÉDITIONS
LA PRESSE

Président :
André Provencher

7, rue St-Jacques
Montréal (Québec) H2Y 1K9